사고력 팩토 연산

매스티안

구성과 특징

1주 연산 원리 학습

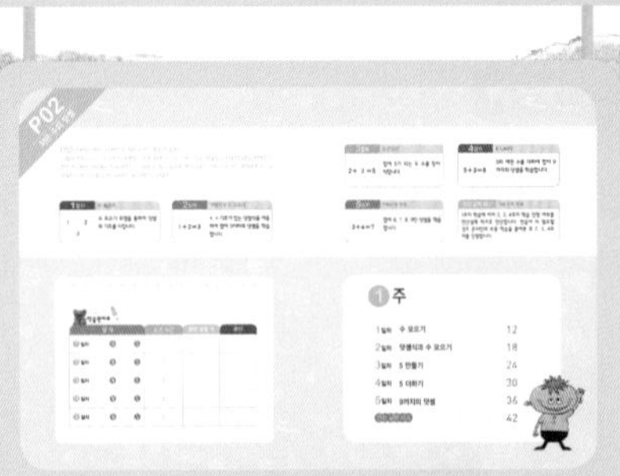

붙임 딱지 등의 활동으로
연산 원리를 재미있게 체득

2주 연산 응용 학습

연산 원리를 응용한 문제를
풀어 보며 문제해결력 신장

정답

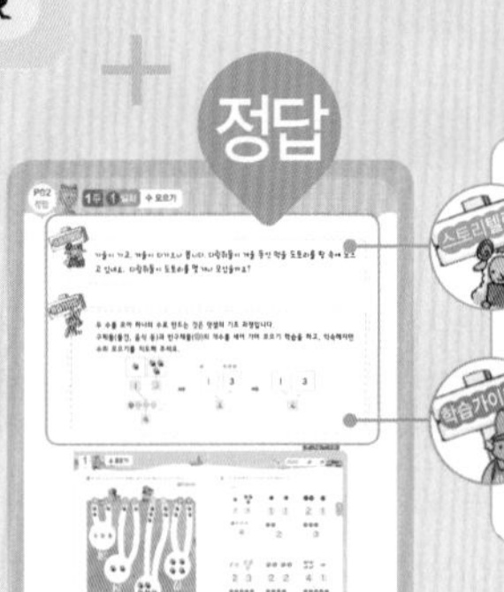

스토리텔링: 아이와 자연스럽게 학습을 시작할 수 있도록 스토리텔링 방식 도입

학습가이드: 아이들이 배우는 연산 원리에 대한 학습가이드 제시

연산 실력 체크 진단 + 보충 온라인 보충 학습

2~4주차 사고력 연산을
학습하기 전에 연산 실력 체크

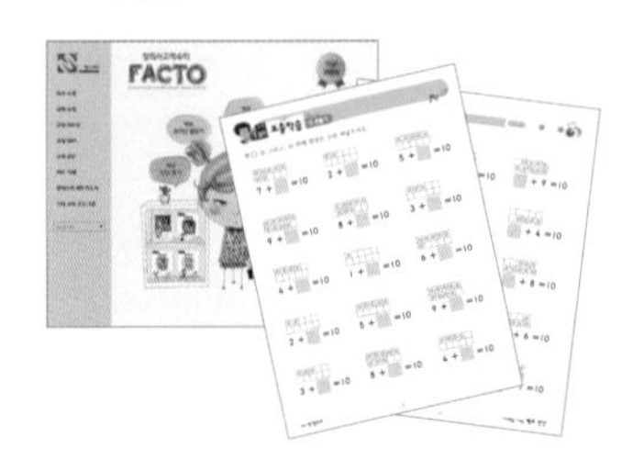

매스티안 홈페이지에서 제공하는
보충 학습으로 연산 원리 다지기

온라인 활동지

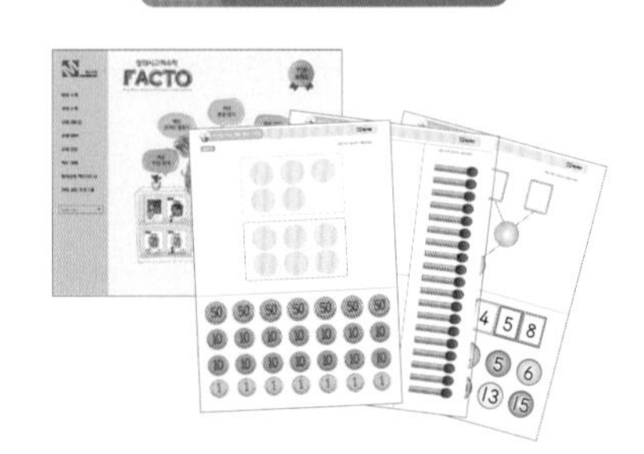

매스티안 홈페이지에서 제공하는
활동지로 사고력 연산 이해도 향상

3주 사고력 학습 1

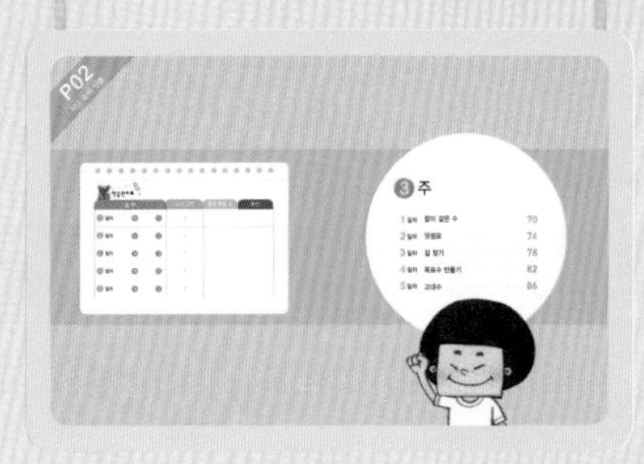

연산 원리를 바탕으로 한 사고력 연산
문제를 풀어 보며 수학적 사고력과 창의력 향상

4주 사고력 학습 2

연산 원리를 바탕으로 한 사고력 연산
문제를 풀어 보며 수학적 사고력과 창의력 향상

• 3, 4주차 1일 학습 흐름 •

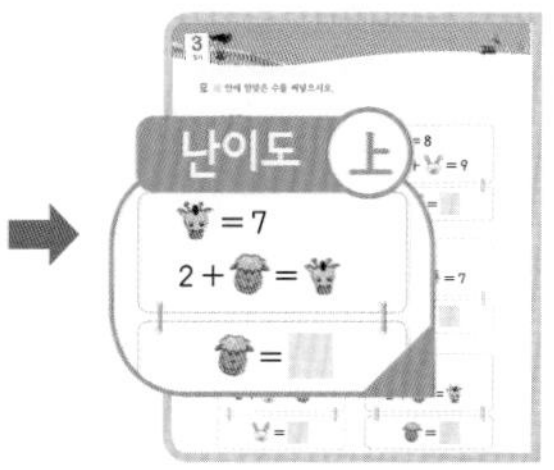

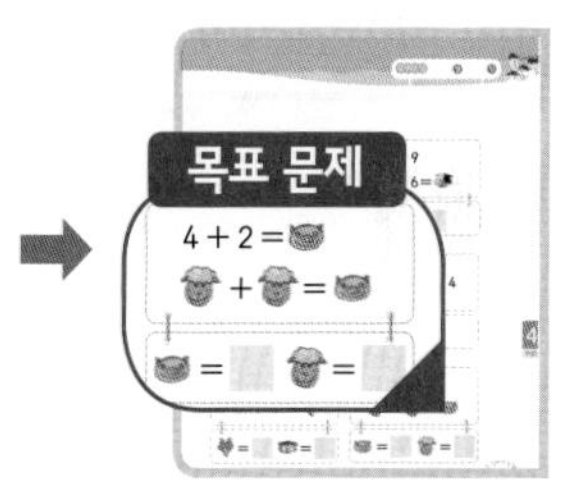

특정 주제를 쉬운 문제부터 목표 문제까지 차근차근
학습할 수 있도록 설계 되어 있어 자기주도학습 가능

App Game 팩토 연산 SPEED UP

앱스토어에서 무료로 다운받은
팩토 연산 SPEED UP으로 덧셈, 뺄셈,
곱셈, 나눗셈의 연산 속도와 정확성 향상

부록 칭찬 붙임 딱지, 상장

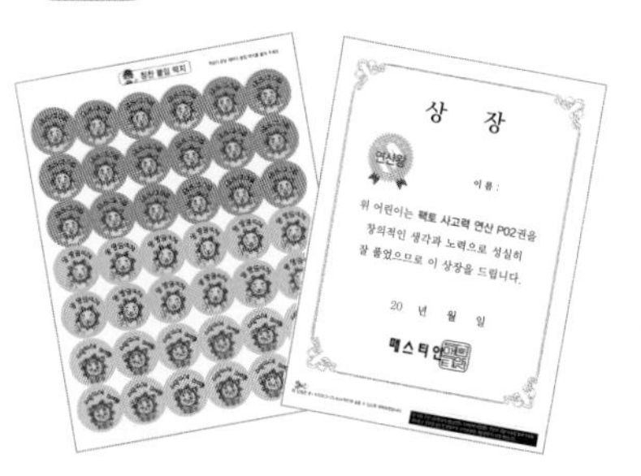

학습 동기 부여를 위한
칭찬 붙임 딱지와 연산왕 상장

사고력을 키우는 팩토 연산 시리즈

| 권장 학년 : 7세, 초1 |

권별	학습 주제	교과 연계
P01	10까지의 수	❶학년 1학기
P02	작은 수의 덧셈	❶학년 1학기
P03	작은 수의 뺄셈	❶학년 1학기
P04	작은 수의 덧셈과 뺄셈	❶학년 1학기
P05	50까지의 수	❶학년 1학기

| 권장 학년 : 초1, 초2 |

권별	학습 주제	교과 연계
A01	100까지의 수	❶학년 2학기
A02	덧셈구구	❶학년 2학기
A03	뺄셈구구	❶학년 2학기
A04	(두 자리 수)+(한 자리 수)	❷학년 1학기
A05	(두 자리 수)−(한 자리 수)	❷학년 1학기

| 권장 학년 : 초2, 초3 |

권별	학습 주제	교과 연계
B01	세 자리 수	❷학년 1학기
B02	(두 자리 수)+(두 자리 수)	❷학년 1학기
B03	(두 자리 수)−(두 자리 수)	❷학년 1학기
B04	곱셈구구	❷학년 2학기
B05	큰 수의 덧셈과 뺄셈	❸학년 1학기

| 권장 학년 : 초3, 초4 |

권별	학습 주제	교과 연계
C01	나눗셈구구	❸학년 1학기
C02	두 자리 수의 곱셈	❸학년 2학기
C03	혼합 계산	❹학년 1학기
C04	큰 수의 곱셈과 나눗셈	❹학년 1학기
C05	분수·소수의 덧셈과 뺄셈	❹학년 1학기

A03 빨셈구구 목차

1주 06

1일차 | 10에서 빼기
2일차 | 빼서 10 만들기
3일차 | 뒤 가르기 빨셈
4일차 | 앞 가르기 빨셈
5일차 | 덧셈을 이용한 빨셈
연산 실력 체크

2주 42

1일차 | 측정 셈
2일차 | 빨셈 퍼즐
3일차 | 사다리 셈
4일차 | 올바른 식 찾기
5일차 | 빨셈표

3주 64

1일차 | 투탕카멘 게임
2일차 | 성냥개비 셈
3일차 | 길 찾기
4일차 | 화살표 약속
5일차 | 빨셈 로봇

4주 86

1일차 | 저울 셈
2일차 | 빨셈식 완성하기
3일차 | 도형 셈
4일차 | 목표수 만들기
5일차 | 기호 넣기

정답 109

부록 .... 상장, 칭찬 붙임 딱지, 활동 붙임 딱지

A03 뺄셈구구

A03권에서는 계산 결과가 한 자리 수인 받아내림이 있는 뺄셈을 학습합니다.
A02권의 받아올림이 있는 덧셈과 마찬가지로 받아내림이 있는 뺄셈에서도 10이 되는 두 수를 찾는 것은 매우 중요합니다. 따라서 10에서 빼기와 빼서 10만들기를 익히고 이를 활용하여 앞 가르기 뺄셈과 뒤 가르기 뺄셈을 하며 뺄셈구구를 완성합니다.
뺄셈구구는 받아내림이 있는 큰 수의 뺄셈에서 반복 적용되기 때문에 답이 빠르게 나올 수 있도록 충분한 시간을 가지고 반복 연습합니다.

1일차 10에서 빼기

10−7= 3

10에서의 빼기를 학습합니다.

2일차 빼서 10만들기

18−8= 10

차가 10이 되는 (십 몇) − (몇)을 학습합니다.

학습관리표

일 자			소요 시간	틀린 문항 수	확인
1 일차	월	일	:		
2 일차	월	일	:		
3 일차	월	일	:		
4 일차	월	일	:		
5 일차	월	일	:		

3일차 뒤 가르기 뺄셈

13−5= [8]
13−3−2

뒤의 수를 갈라 (십 몇) − (몇)을 하여 10을 만든 후, 남은 수를 10에서 빼는 뺄셈을 학습합니다.

4일차 앞 가르기 뺄셈

11−5= [6]
1+10−5

앞의 수를 갈라 10에서 뒤의 수를 뺀 후, 가르고 남은 수와 더하는 뺄셈을 학습합니다.

5일차 덧셈을 이용한 뺄셈

8+[5]=13
13−8=[5]

덧셈을 이용하여 뺄셈을 하는 방법을 학습합니다.

연산 실력 체크

1주차 학습에 이어 2, 3, 4주차 학습을 원활히 하기 위하여 연산 실력 체크를 합니다.
연습이 더 필요할 경우에는 매스티안 홈페이지의 보충 학습을 풀어 봅니다.

1 주

1일차 | 10에서 빼기 08

2일차 | 빼서 10만들기 14

3일차 | 뒤 가르기 뺄셈 20

4일차 | 앞 가르기 뺄셈 26

5일차 | 덧셈을 이용한 뺄셈 32

연산 실력 체크 38

10에서 빼기

손가락을 붙이며 뺄셈을 하시오.

$10 - 2 =$ ☐

$10 - 4 =$ ☐

$10 - 7 =$ ☐

$10 - 9 =$ ☐

손가락을 ✕로 지우며 뺄셈을 하시오.

보기

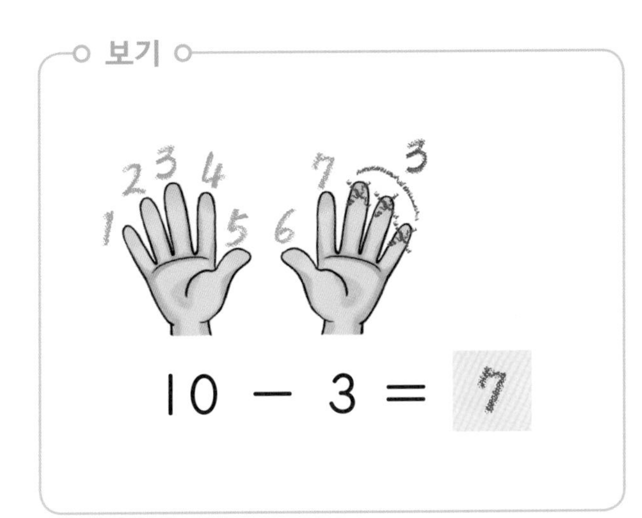

10 − 3 = 7

10 − 5 =

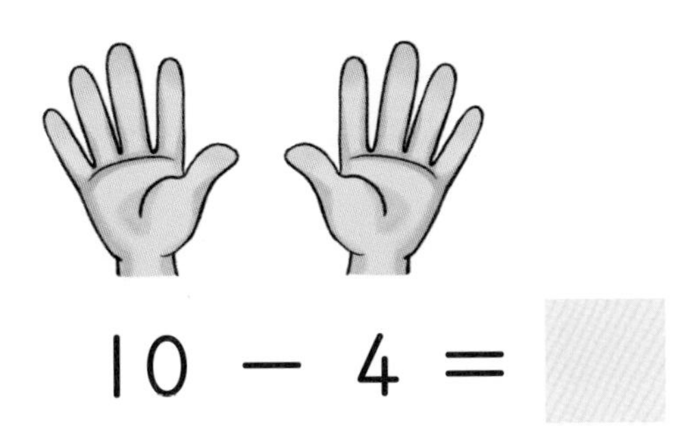

10 − 4 =

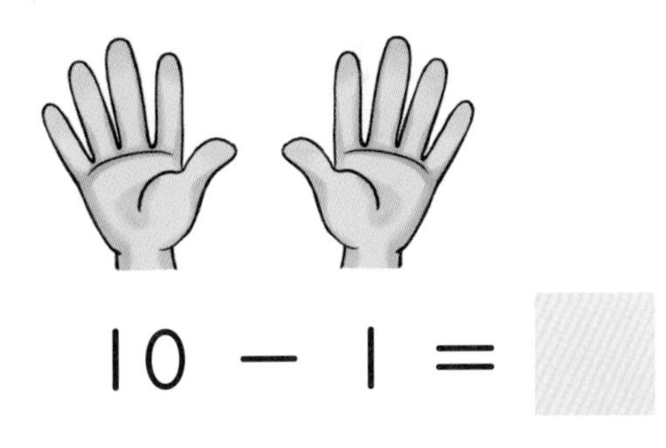

10 − 1 =

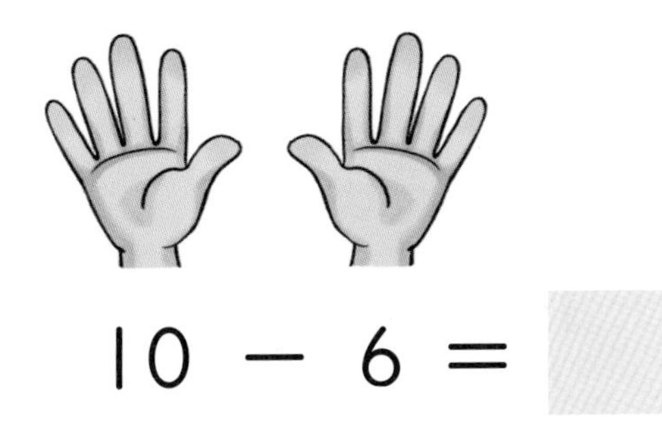

10 − 6 =

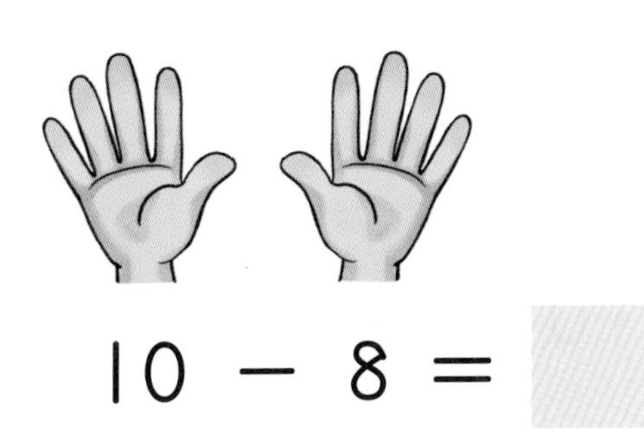

10 − 8 =

●를 ⁄로 지우며 뺄셈을 하시오.

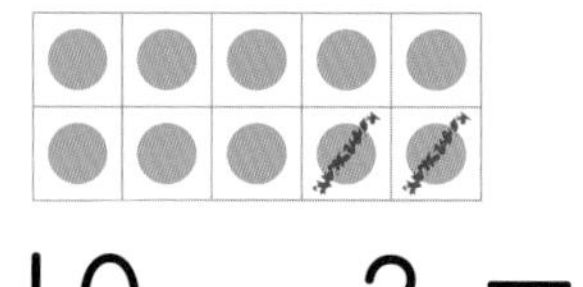

10 − 2 = 8

10 − 5 =

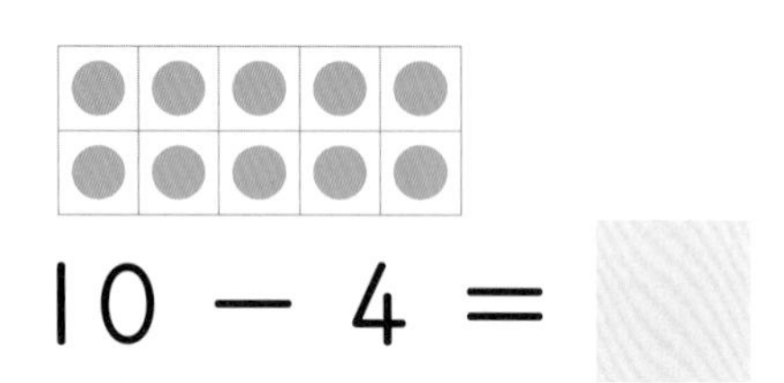

10 − 4 =

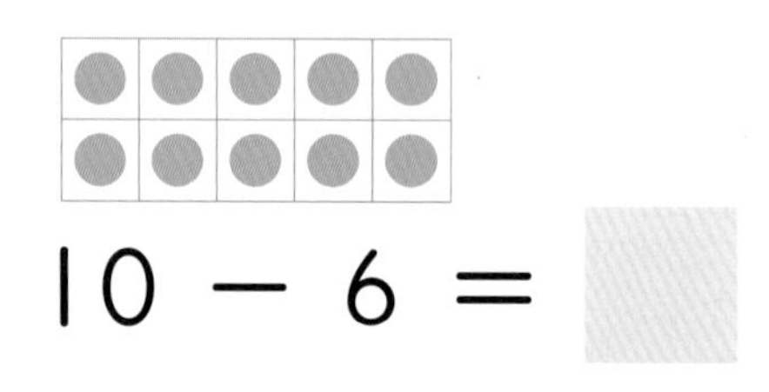

10 − 6 =

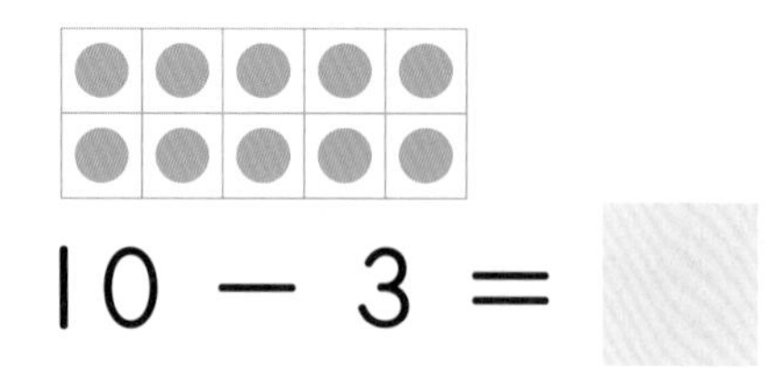

10 − 3 =

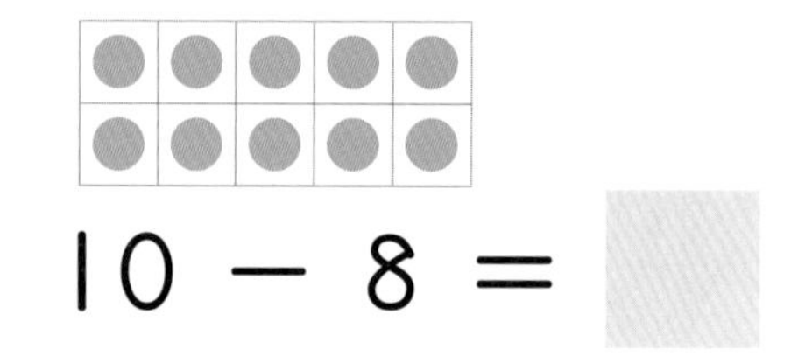

10 − 8 =

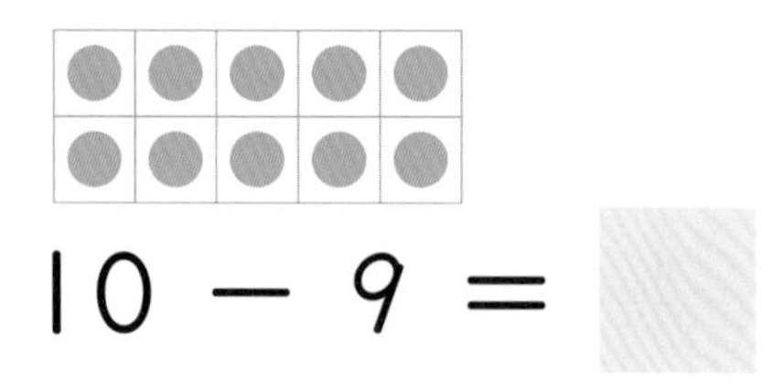

10 − 9 =

10 − 1 =

10 − 7 =

10 − 4 =

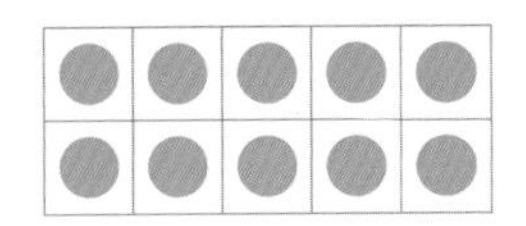

10 − 6 =

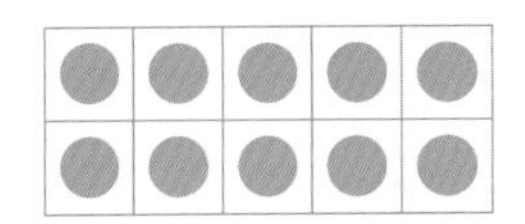

10 − 5 =

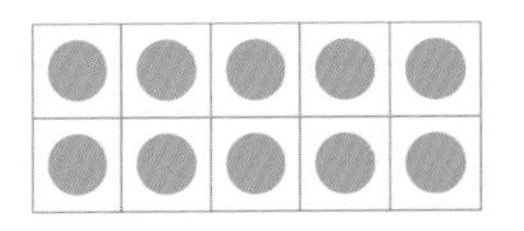

10 − 7 =

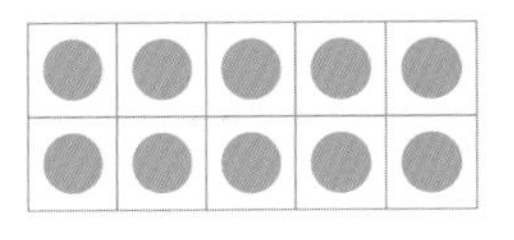

10 − 3 =

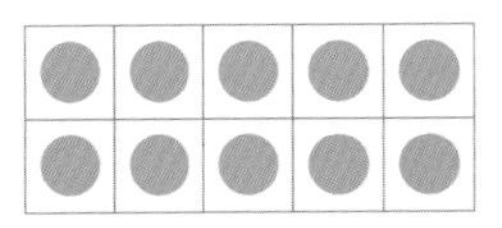

10 − 8 =

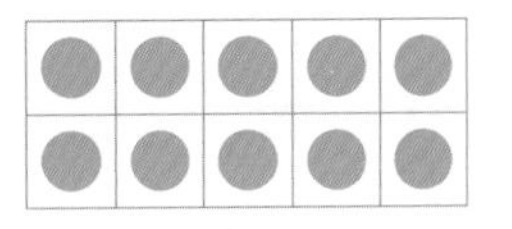

10 − 9 = 

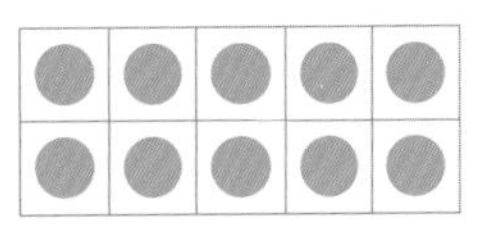

10 − 4 =

10 − 1 =

10 − 2 =

10 − 7 =

빼셈을 하시오.

$10 - 1 =$ ☐

$10 - 7 =$ ☐

$10 - 6 =$ ☐

$10 - 4 =$ ☐

$10 - 3 =$ ☐

$10 - 5 =$ ☐

$10 - 8 =$ ☐

$10 - 2 =$ ☐

$10 - 9 =$ ☐

$10 - 1 =$ ☐

$10 - 5 =$ ☐

$10 - 3 =$ ☐

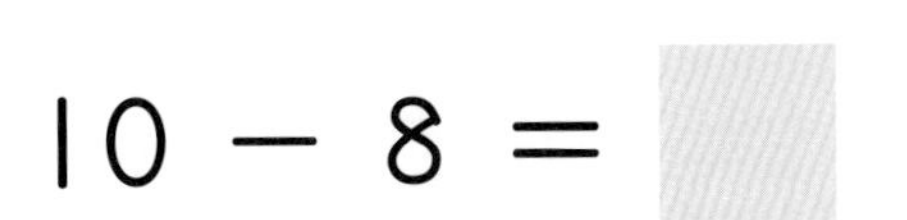

$10 - 8 =$ ☐

$10 - 5 =$ ☐

$10 - 3 =$ ☐

$10 - 6 =$ ☐

$10 - 4 =$ ☐

$10 - 7 =$ ☐

$10 - 2 =$ ☐

$10 - 1 =$ ☐

$10 - 7 =$ ☐

$10 - 9 =$ ☐

$10 - 8 =$ ☐

$10 - 5 =$ ☐

오늘은 얼마나 잘했을까요?
칭찬 붙임 딱지를 붙여 주세요!

빼서 10 만들기

10마리만 남도록 뿅망치로 두더지를 잡으며 뺄셈을 하시오.

준비물 ▸ 붙임 딱지

●를 /로 지우며 뺄셈을 하시오.

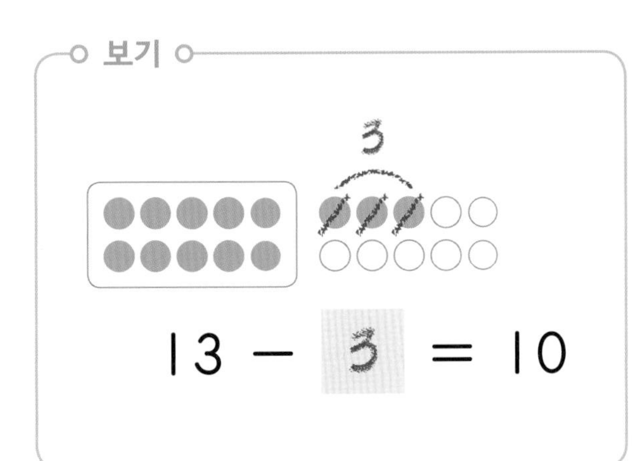

2

12 − ☐ = 10

14 − ☐ = 10

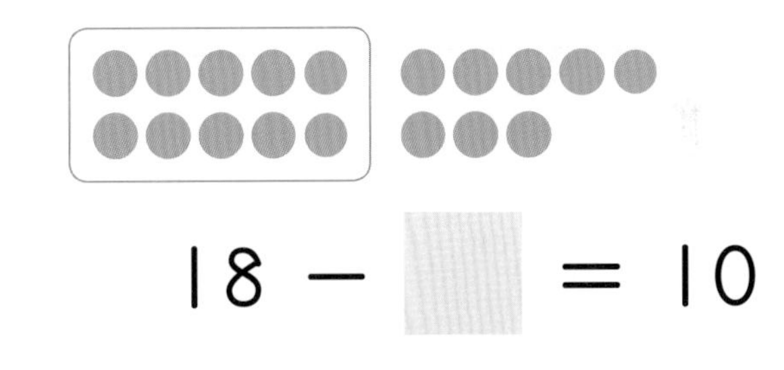

18 − ☐ = 10

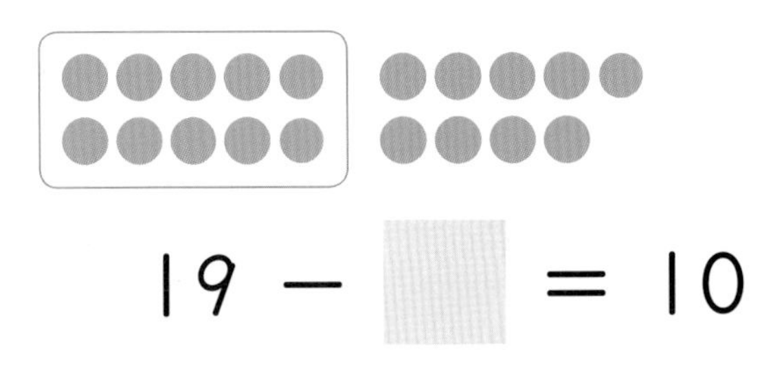

19 − ☐ = 10

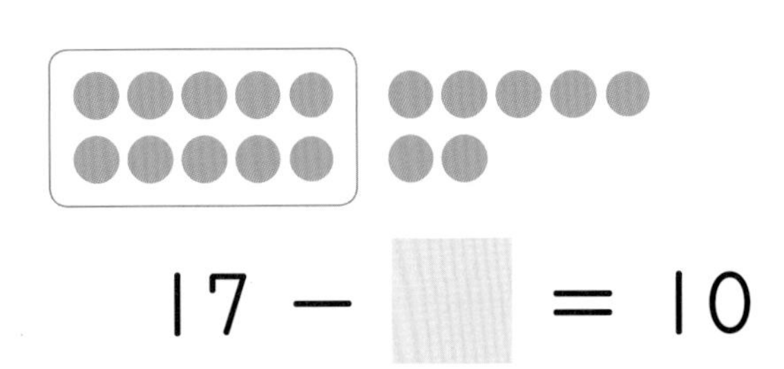

17 − ☐ = 10

앞의 수를 갈라 뺄셈을 하시오.

$15 - \boxed{5} = 10$

10 (5)

$11 - \boxed{} = 10$

10 (1)

$13 - \boxed{} = 10$

10

$14 - \boxed{} = 10$

10

$17 - \boxed{} = 10$

$18 - \boxed{} = 10$

$12 - \boxed{} = 10$

$16 - \boxed{} = 10$

$19 - \boxed{} = 10$

$13 - \boxed{} = 10$

$12 - \square = 10$

$15 - \square = 10$

$17 - \square = 10$

$19 - \square = 10$

$14 - \square = 10$

$13 - \square = 10$

$11 - \square = 10$

$16 - \square = 10$

$12 - \square = 10$

$18 - \square = 10$

안에 알맞은 수를 써넣으시오.

$14 - \square = 10$

$17 - \square = 10$

$16 - \square = 10$

$12 - \square = 10$

$19 - \square = 10$

$14 - \square = 10$

$18 - \square = 10$

$11 - \square = 10$

$15 - \square = 10$

$16 - \square = 10$

$13 - \square = 10$

$19 - \square = 10$

공부한 날 월 일

$12 - \square = 10$

$15 - \square = 10$

$17 - \square = 10$

$18 - \square = 10$

$14 - \square = 10$

$13 - \square = 10$

$18 - \square = 10$

$11 - \square = 10$

$16 - \square = 10$

$15 - \square = 10$

$19 - \square = 10$

$17 - \square = 10$

오늘은 얼마나 잘했을까요?
칭찬 붙임 딱지를 붙여 주세요!

뒤 가르기 뺄셈

기차 블록을 붙이며 뺄셈을 하시오.

준비물 ▸ 붙임 딱지

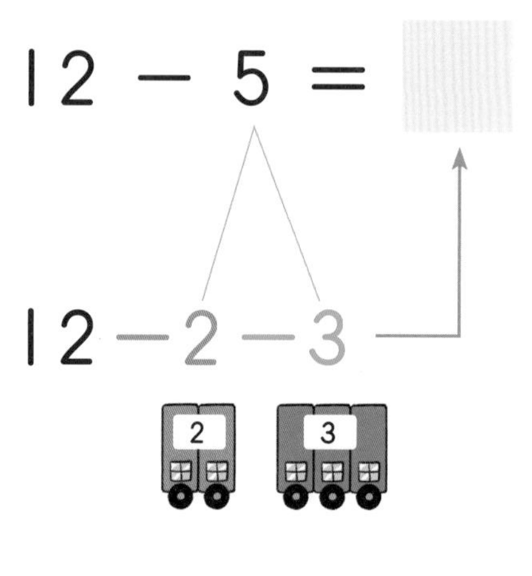

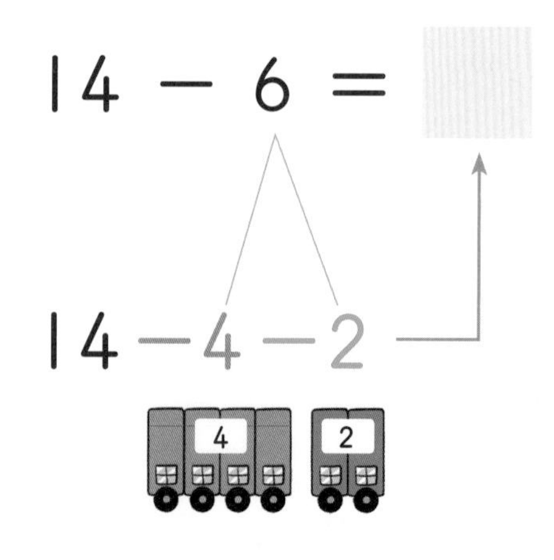

●를 ⁄로 지우며 뺄셈을 하시오.

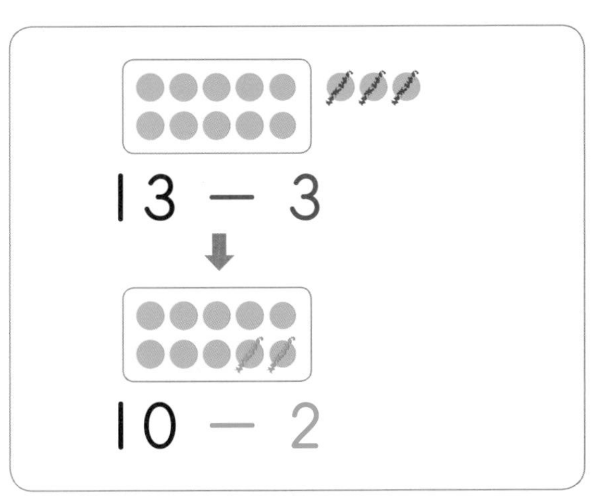

13 − 5 = □

13 − 3 − 2

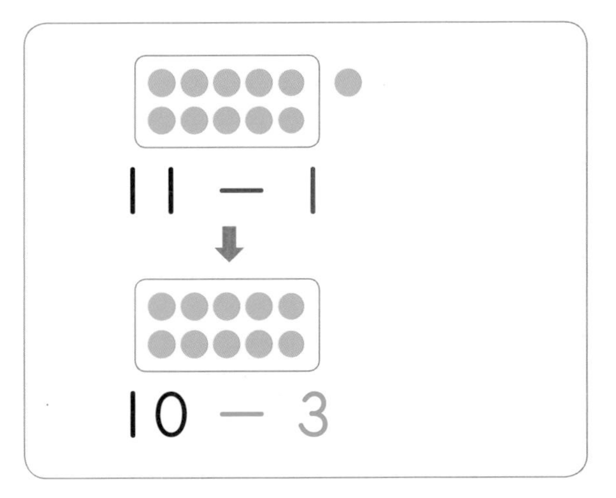

11 − 4 = □

11 − 1 − 3

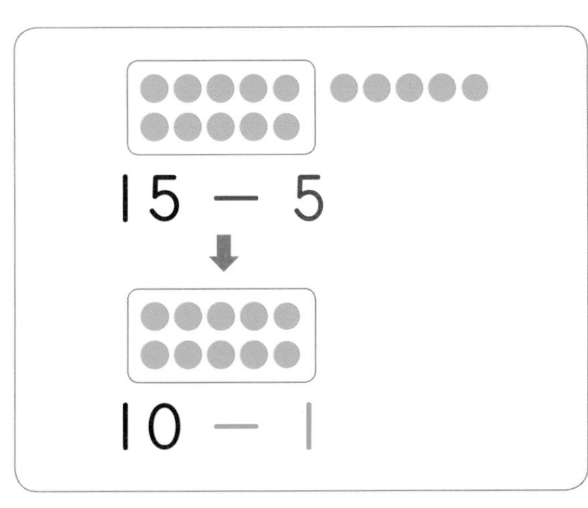

15 − 6 = □

15 − 5 − 1

1
A03

뒤의 수를 갈라 뺄셈을 하시오.

$11 - 3 = $ 8

11 − (1) − (2)

$12 - 5 = $ ☐

12 − (2) − (3)

$13 - 8 = $ ☐

13 − (3) − ( )

$15 - 9 = $ ☐

15 − (5) − ( )

$14 - 6 = $ ☐

14 − ( ) − ( )

$11 - 4 = $ ☐

11 − ( ) − ( )

$12 - 7 = $ ☐

12 − ( ) − ( )

$16 - 7 = $ ☐

16 − ( ) − ( )

$14 - 8 = $ ☐

14 − ( ) − ( )

$13 - 4 = $ ☐

13 − ( ) − ( )

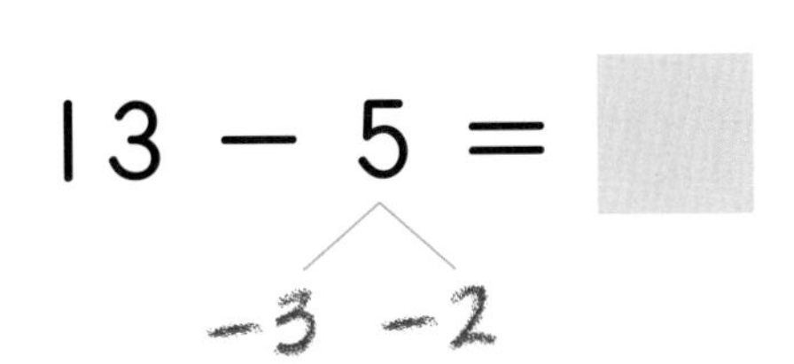

$13 - 5 =$ ☐

$11 - 8 =$ ☐

$12 - 6 =$ ☐

$14 - 9 =$ ☐

$14 - 7 =$ ☐

$15 - 6 =$ ☐

$11 - 9 =$ ☐

$12 - 8 =$ ☐

$13 - 7 =$ ☐

$16 - 9 =$ ☐

빨셈을 하시오.

$11 - 2 =$ ☐

$13 - 7 =$ ☐

$12 - 9 =$ ☐

$17 - 9 =$ ☐

$11 - 6 =$ ☐

$12 - 3 =$ ☐

$15 - 8 =$ ☐

$13 - 9 =$ ☐

$12 - 4 =$ ☐

$14 - 8 =$ ☐

$17 - 8 =$ ☐

$15 - 7 =$ ☐

$14 - 9 = \square$

$11 - 7 = \square$

$13 - 6 = \square$

$15 - 9 = \square$

$12 - 8 = \square$

$14 - 5 = \square$

$16 - 8 = \square$

$13 - 8 = \square$

$11 - 9 = \square$

$12 - 5 = \square$

$14 - 6 = \square$

$11 - 3 = \square$

앞 가르기 뺄셈

기차 블록을 붙이며 뺄셈을 하시오.

준비물 ▸ 붙임 딱지

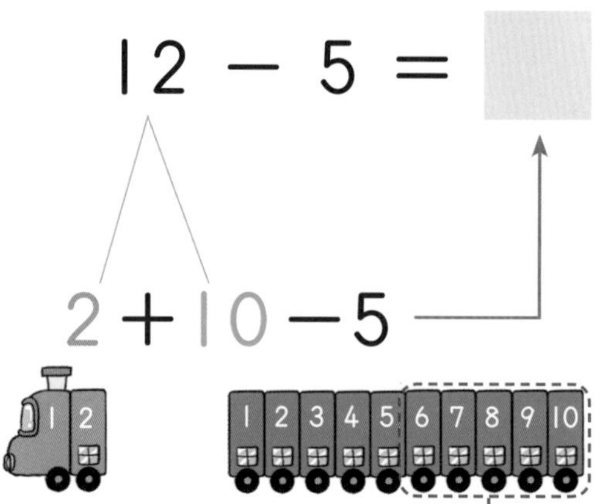

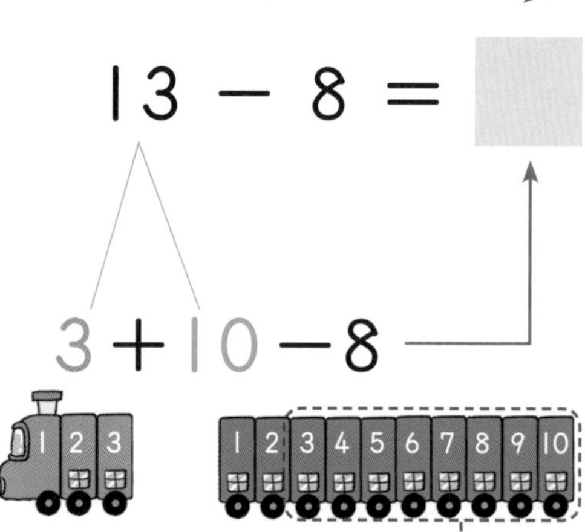

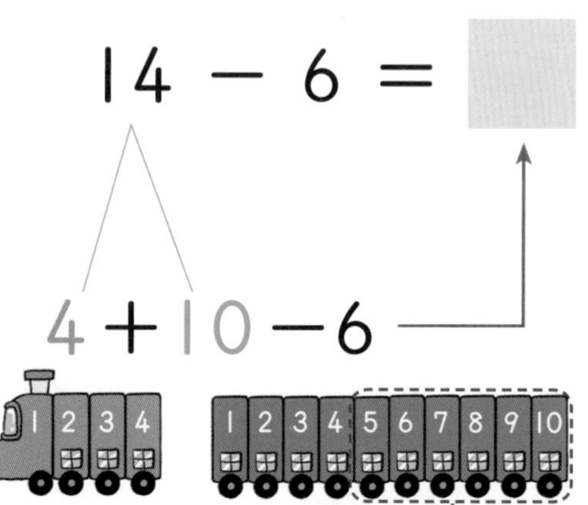

● 를 / 로 지우며 뺄셈을 하시오.

보기

12 − 3 = 9

2 + 10 − 3 → 2+7

●● ●●●●● ●●●●● (3 crossed out) 7

11 − 5 = ☐

1 + 10 − 5 → 1+5

● ●●●●● ●●●●● (5 crossed out) 5

13 − 6 = ☐

3 + 10 − 6 →

●●● ●●●●● ●●●●●

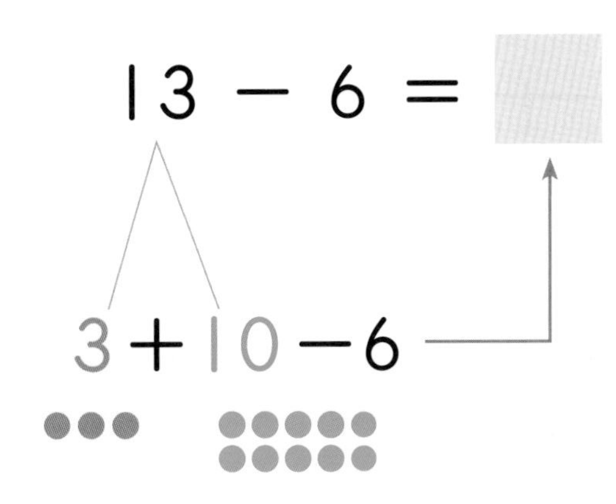

14 − 9 = ☐

4 + 10 − 9 →

●●●● ●●●●● ●●●●●

15 − 7 = ☐

5 + 10 − 7 →

●●●●● ●●●●● ●●●●●

13 − 4 = ☐

3 + 10 − 4 →

●●● ●●●●● ●●●●●

1 A03

앞의 수를 갈라 뺄셈을 하시오.

$13 - 7 = 6$

3 + 10 − 7 → 3

$12 - 3 = \square$

2 + 10 − 3 → 7

$15 - 8 = \square$

5 + 10 − 8

$11 - 9 = \square$

1 + 10 − 9

$12 - 7 = \square$

2 + 10 − 7

$13 - 6 = \square$

3 + 10 − 6

$11 - 3 = \square$

1 + 10 − 3

$14 - 8 = \square$

4 + 10 − 8

$13 - 9 = \square$

3 + 10 − 9

$12 - 5 = \square$

2 + 10 − 5

$12 - 6 =$ ☐

2 10

$11 - 4 =$ ☐

1 10

$13 - 8 =$ ☐

$15 - 7 =$ ☐

$14 - 5 =$ ☐

$16 - 7 =$ ☐

$15 - 9 =$ ☐

$11 - 8 =$ ☐

$12 - 8 =$ ☐

$13 - 4 =$ ☐

빼셈을 하시오.

$12 - 4 =$ ☐

$11 - 6 =$ ☐

$13 - 6 =$ ☐

$12 - 9 =$ ☐

$11 - 5 =$ ☐

$17 - 8 =$ ☐

$13 - 9 =$ ☐

$15 - 9 =$ ☐

$14 - 6 =$ ☐

$11 - 4 =$ ☐

$12 - 3 =$ ☐

$13 - 5 =$ ☐

$17 - 9 = \square$

$14 - 7 = \square$

$11 - 7 = \square$

$12 - 8 = \square$

$15 - 7 = \square$

$13 - 4 = \square$

$13 - 8 = \square$

$11 - 9 = \square$

$12 - 6 = \square$

$14 - 5 = \square$

$11 - 8 = \square$

$16 - 8 = \square$

덧셈을 이용한 뺄셈

기차 블록을 붙이며 뺄셈을 하시오.

준비물 ▸ 붙임 딱지

$7 + 4 = 11$

$11 - 4 = \square$

$11 - 7 = \square$

$9 + 3 = 12$

$12 - 3 = \square$

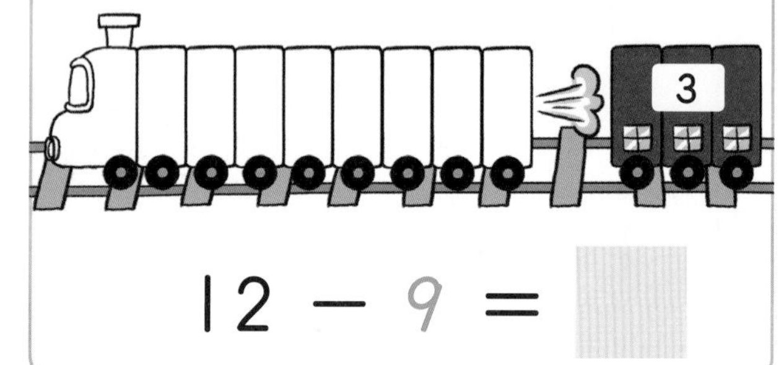

$12 - 9 = \square$

덧셈식을 이용하여 뺄셈을 하시오.

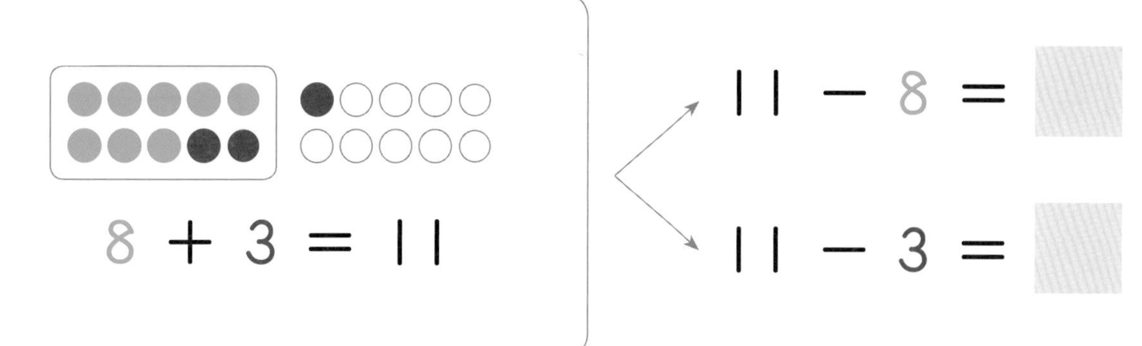

$8 + 3 = 11$

$11 - 8 = \square$

$11 - 3 = \square$

$9 + 5 = 14$

$14 - 9 = \square$

$14 - 5 = \square$

$6 + 7 = 13$

$13 - 6 = \square$

$13 - 7 = \square$

덧셈식을 이용하여 뺄셈을 하시오.

$6 + \boxed{8} = 14$

$14 - 6 = 8$

$7 + \boxed{4} = 11$

$11 - 7 = \square$

$5 + \square = 13$

$13 - 5 = \square$

$9 + \square = 14$

$14 - 9 = \square$

$8 + \square = 15$

$15 - 8 = \square$

$4 + \square = 12$

$12 - 4 = \square$

$9 + \square = 11$

$11 - 9 = \square$

$9 + \square = 13$

$13 - 9 = \square$

$6 + \square = 13$

$13 - 6 = \square$

$8 + \square = 14$

$14 - 8 = \square$

$8 + \square = 13$

$13 - 8 = \square$

$9 + \square = 15$

$15 - 9 = \square$

$3 + \square = 11$

$11 - 3 = \square$

$5 + \square = 12$

$12 - 5 = \square$

$7 + \square = 16$

$16 - 7 = \square$

$6 + \square = 11$

$11 - 6 = \square$

$9 + \square = 12$

$12 - 9 = \square$

$7 + \square = 13$

$13 - 7 = \square$

$7 + \square = 14$

$14 - 7 = \square$

$8 + \square = 17$

$17 - 8 = \square$

빼셈을 하시오.

$14 - 8 = \square$

$12 - 8 = \square$

$15 - 7 = \square$

$13 - 4 = \square$

$11 - 6 = \square$

$11 - 2 = \square$

$17 - 9 = \square$

$12 - 6 = \square$

$14 - 7 = \square$

$16 - 9 = \square$

$13 - 5 = \square$

$14 - 6 = \square$

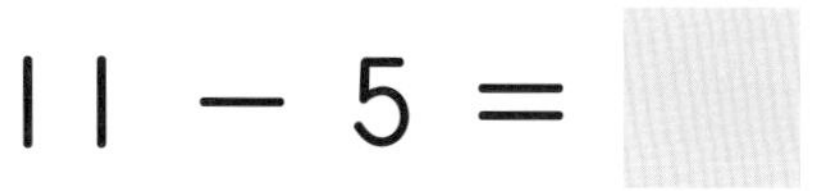

$11 - 5 = \square$

$15 - 8 = \square$

$12 - 9 = \square$

$11 - 9 = \square$

$17 - 8 = \square$

$14 - 5 = \square$

$13 - 6 = \square$

$18 - 9 = \square$

$16 - 8 = \square$

$11 - 7 = \square$

$12 - 7 = \square$

$15 - 6 = \square$

연산 실력 체크

정답 수	/ 40개
날 짜	월 일

2~4주 사고력 연산을 학습하기 전에 기본 연산 실력을 점검해 보세요.

1. $12 - 3 =$ ☐

2. $10 - 5 =$ ☐

3. $16 - 9 =$ ☐

4. $13 - 7 =$ ☐

5. $17 - 8 =$ ☐

6. $11 - 6 =$ ☐

7. $15 - 9 =$ ☐

8. $14 - 7 =$ ☐

9. $12 - 8 =$ ☐

10. $11 - 2 =$ ☐

11. $17 - 9 =$ ☐

12. $16 - 7 =$ ☐

13. $14 - 5 =$ ☐

14. $11 - 9 =$ ☐

15. $18 - 9 =$ ☐

16. $14 - 6 =$ ☐

17. $13 - 8 =$ ☐

18. $11 - 5 =$ ☐

19. $13 - 6 =$ ☐

20. $12 - 6 =$ ☐

21. $11 - 3 =$ ☐

22. $10 - 9 =$ ☐

23. $12 - 5 =$ ☐

24. $14 - 9 =$ ☐

25. $16 - 8 =$ ☐

26. $11 - 4 =$ ☐

27. $11 - 8 =$ ☐

28. $10 - 6 =$ ☐

29. $12 - 9 =$ ☐

30. $11 - 3 =$ ☐

31. $15 - 7 =$ ☐

32. $12 - 7 =$ ☐

33. $13 - 4 =$ ☐

34. $14 - 8 =$ ☐

35. $13 - 5 =$ ☐

36. $15 - 8 =$ ☐

37. $13 - 9 =$ ☐

38. $12 - 4 =$ ☐

39. $11 - 7 =$ ☐

40. $15 - 6 =$ ☐

연산 실력 분석

오답 수에 맞게 학습을 진행하시기 바랍니다.

평가	오답 수	학습 방법
최고예요	0 ~ 2개	전반적으로 학습 내용에 대해 정확히 이해하고 있으며 매우 우수합니다. 기본 연산 문제를 자신 있게 풀 수 있는 실력을 갖추었으므로 이제는 사고력을 향상시킬 차례입니다. 2주차부터 차근차근 학습을 진행해 보세요. 학습 [2주차] → [3주차] → [4주차]
잘했어요	3 ~ 4개	기본 연산 문제를 전반적으로 잘 이해하고 풀었지만 약간의 실수가 있는 것 같습니다. 틀린 문제를 다시 한 번 풀어 보고, 문제를 차근차근 푸는 습관을 갖도록 노력해 보세요. 매스티안 홈페이지에서 제공하는 보충 학습으로 연산 실력을 향상시킨 후 2, 3, 4주차 학습을 진행해 주세요. 학습 [틀린 문제 복습] → [보충 학습] → [2주차] → …
노력해요	5개 이상	개념을 정확하게 이해하고 있지 않아 연산을 하는데 어려움이 있습니다. 개념을 이해하고 연산 문제를 반복해서 연습해 보세요. 매스티안 홈페이지에서 제공하는 보충 학습이 연산 실력을 향상시키는데 도움이 될 것입니다. 여러분도 곧 연산왕이 될 수 있습니다. 조금만 힘을 내 주세요. 학습 [1주차 원리 중심 복습] → [보충 학습] → [2주차] → …

매스티안 홈페이지 : www.mathtian.com

A03 뺄셈구구

일 자			소요 시간	틀린 문항 수	확인
❶ 일차	월	일	:		
❷ 일차	월	일	:		
❸ 일차	월	일	:		
❹ 일차	월	일	:		
❺ 일차	월	일	:		

2 주

1일차 | 측정 셈 44

2일차 | 뺄셈 퍼즐 48

3일차 | 사다리 셈 52

4일차 | 올바른 식 찾기 56

5일차 | 뺄셈표 60

측정 셈

▢ 안에 알맞은 수를 써넣으시오.

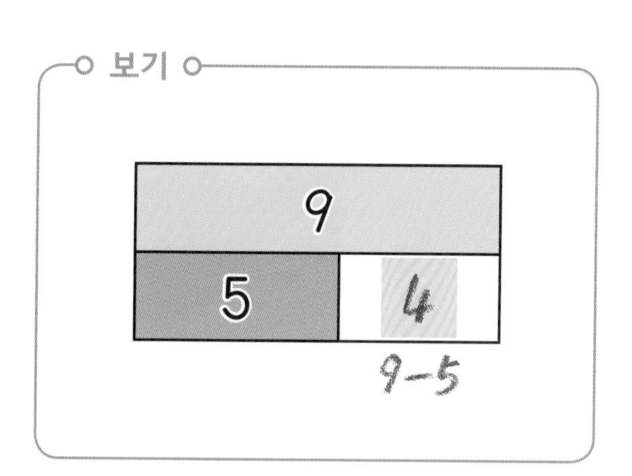

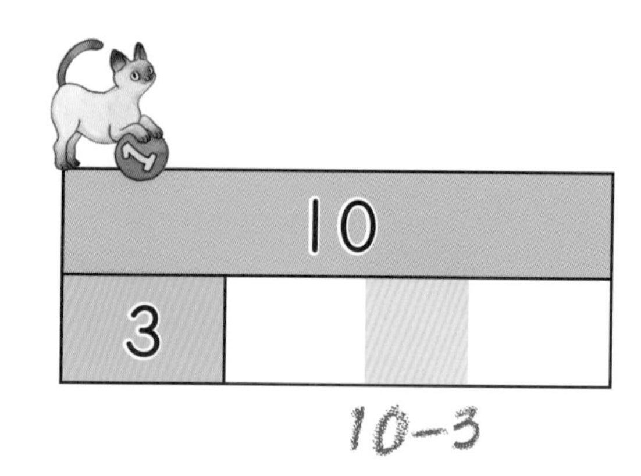

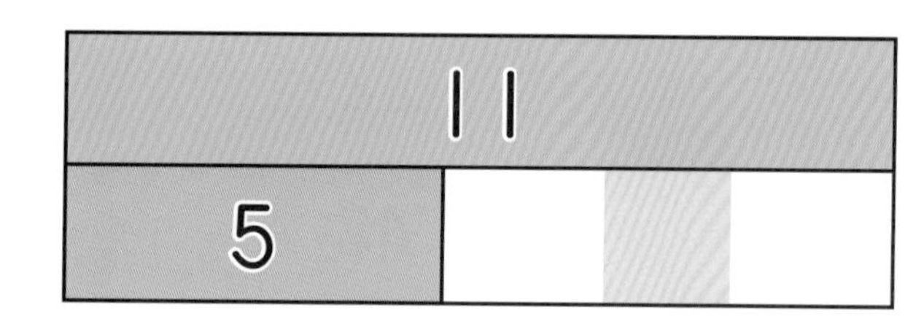

13

6 | ▢

14

▢ | 9

16

▢ | 8

2
A03

안에 알맞은 수를 써넣으시오.

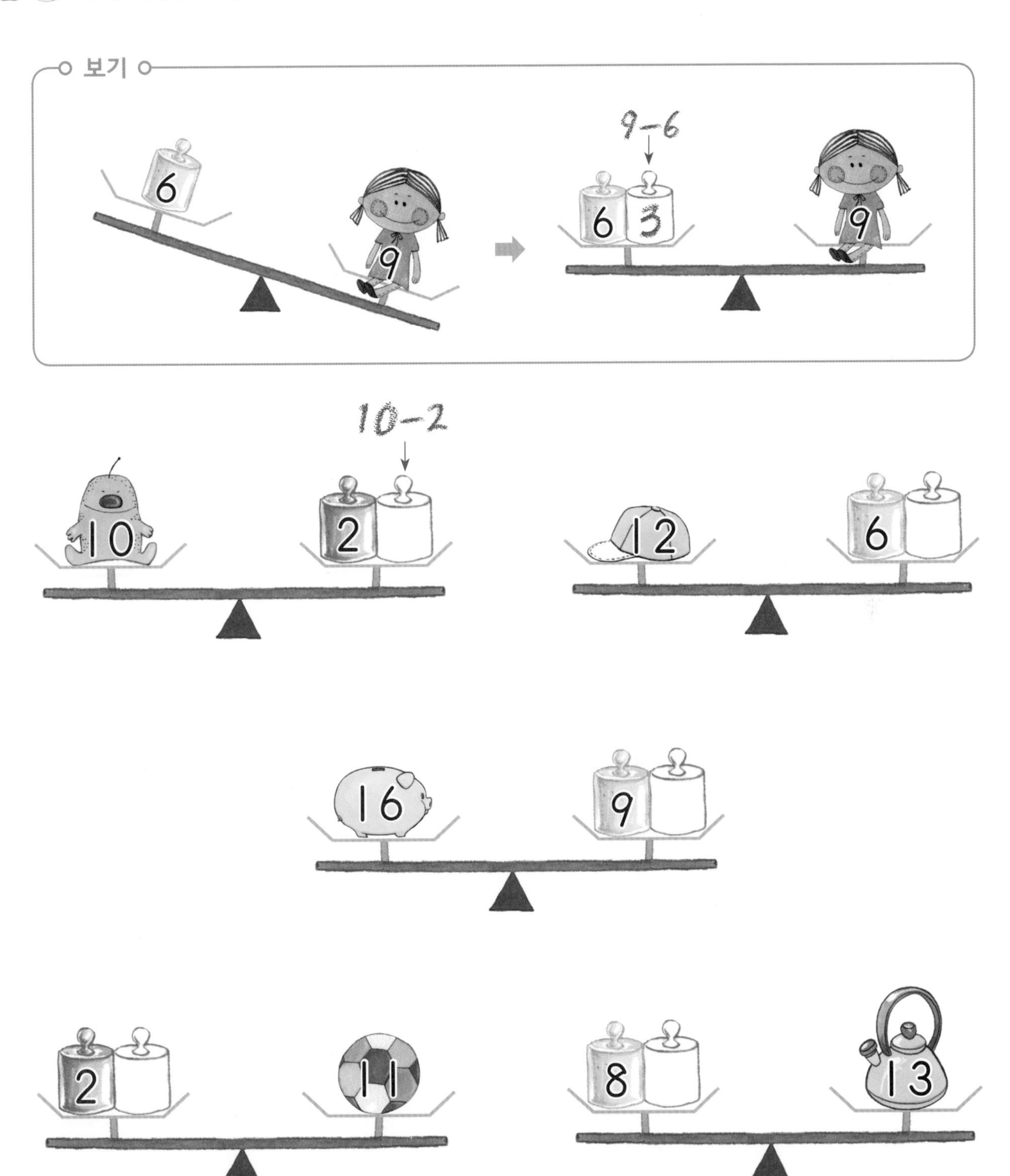

■ 안에 알맞은 수를 써넣으시오.

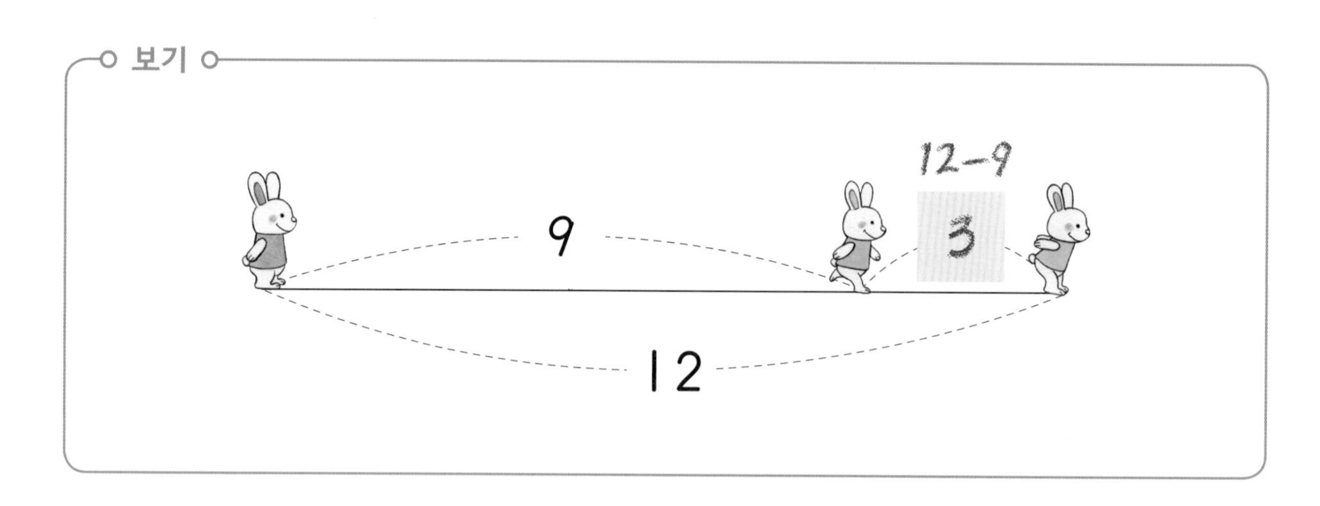

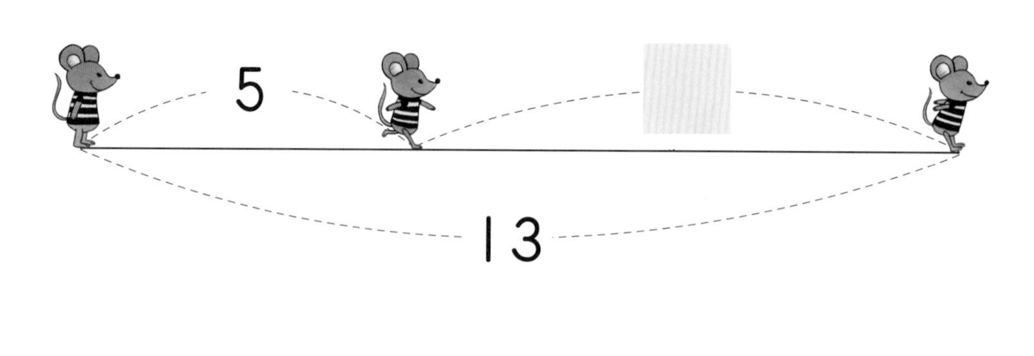

표에서 계산한 값의 색깔을 찾아 알맞게 색칠해 보시오.

준비물 ▸ 색연필

9	6	5	4	7

2 일차

뺄셈 퍼즐

▢ 안에 알맞은 수를 써넣으시오.

보기

12 − 3 = 9

① 12−3=9

9 − 2 = 7 (② 9 − 2 = 7)

15 − 8 = 7

③ 15−8=7

---

14 − 6 = 8 (14−6)

14 − 9 = [ ]

[ ] − 1 = [ ]

---

13 − 7 = [ ]

13 − 4 = [ ]

[ ] − 3 = [ ]

---

15 − 7 = [ ]

15 − 6 = [ ]

[ ] − 8 = [ ]

---

11 − 4 = [ ]

[ ] − 1 = [ ]

12 − [ ] = [ ]

10 − 1 = □
|　　　　|
2　　　　4
‖　　　　‖
□ − 3 = □

13 − 9 = □
|　　　　|
6　　　　2
‖　　　　‖
□ − 5 = □

14 − 5 = □
|　　　　|
8　　　　□
‖　　　　‖
□ − 0 = 6

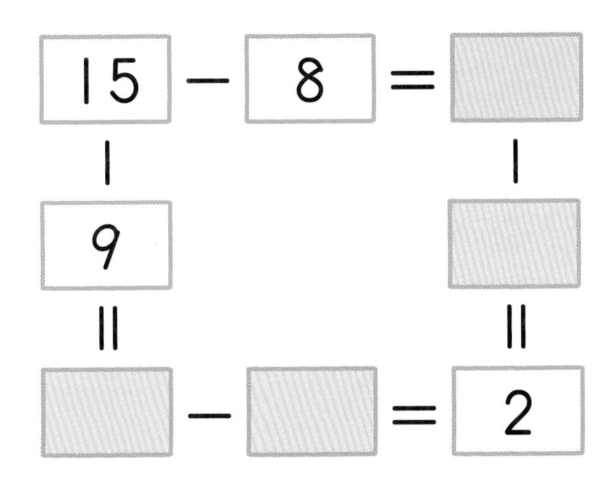

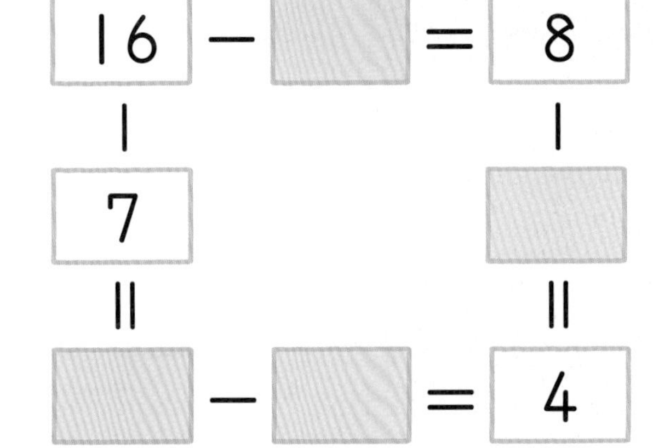

수 카드를 한 번씩만 사용하여 퍼즐을 완성하시오.

보기

8 5 2 1

12	−	4	=	8
−				−
5				2
=				=
7	−	1	=	6

3 9 7 5

14	−	□	=	7
−				−
5				□
=				=
□	−	□	=	4

6 8 3 4

15	−	7	=	□
−				−
□				□
=				=
9	−	□	=	5

빨셈을 하여 북극곰을 집에 데려다 주시오.

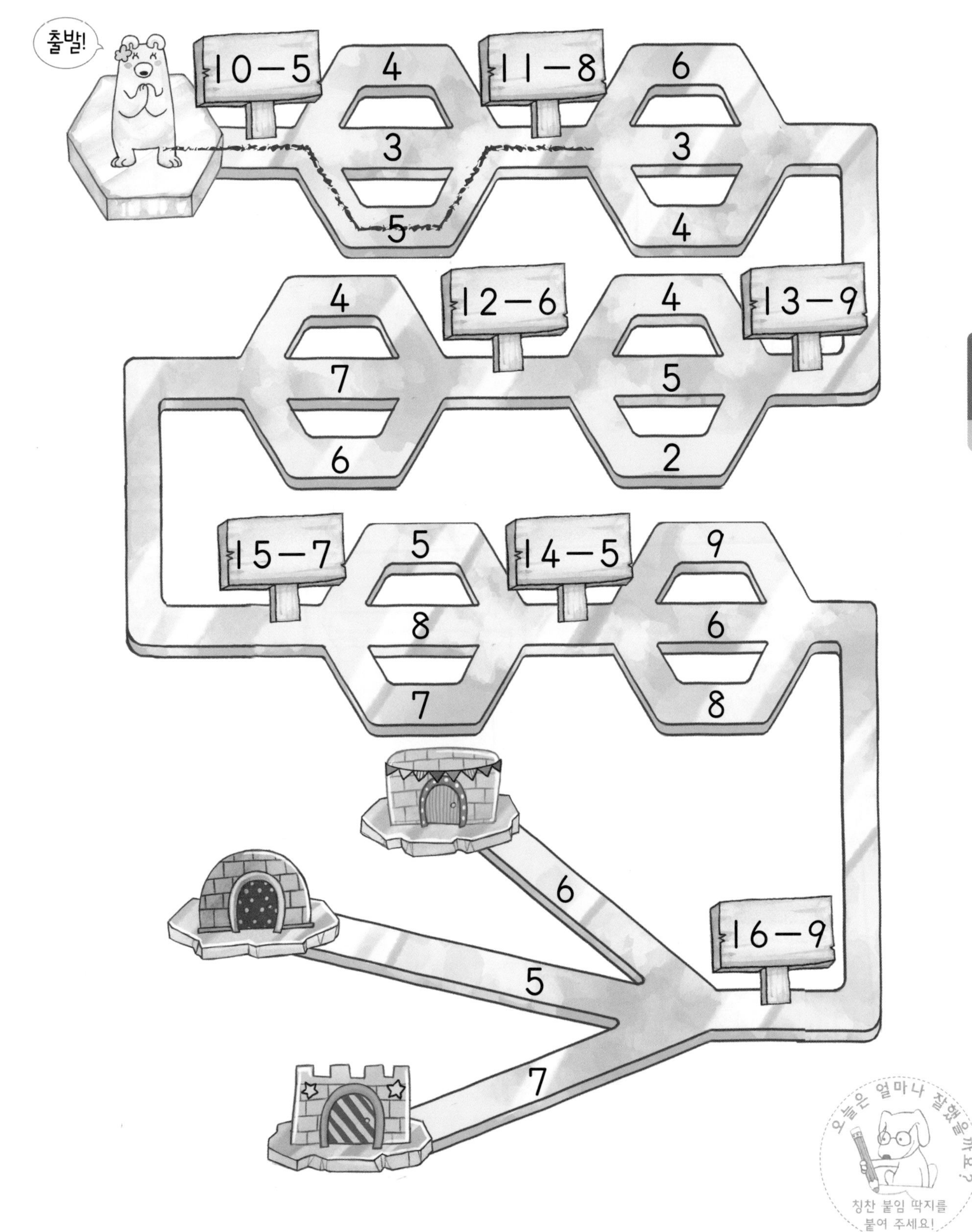

오늘은 얼마나 잘했을까요?
칭찬 붙임 딱지를 붙여 주세요!

사다리 셈

사다리타기를 하여 ▨ 안에 알맞은 수를 써넣으시오.

2
A03

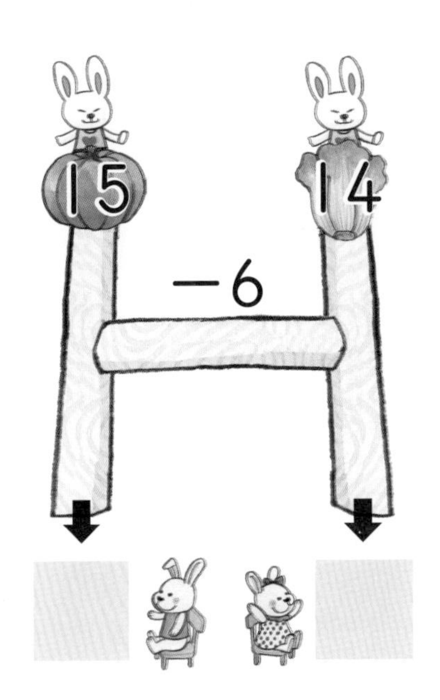

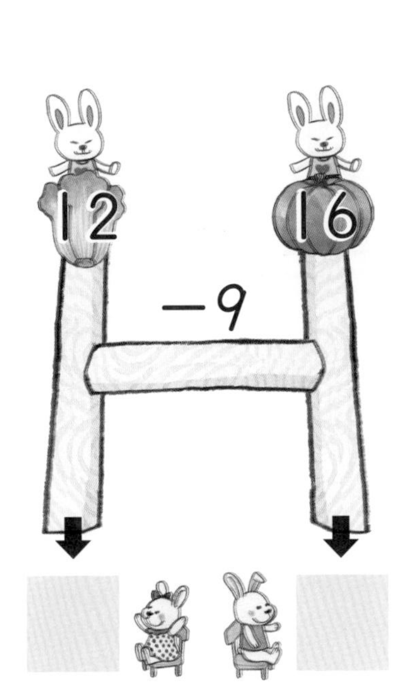

사다리타기를 하여 ▨ 안에 알맞은 수를 써넣으시오.

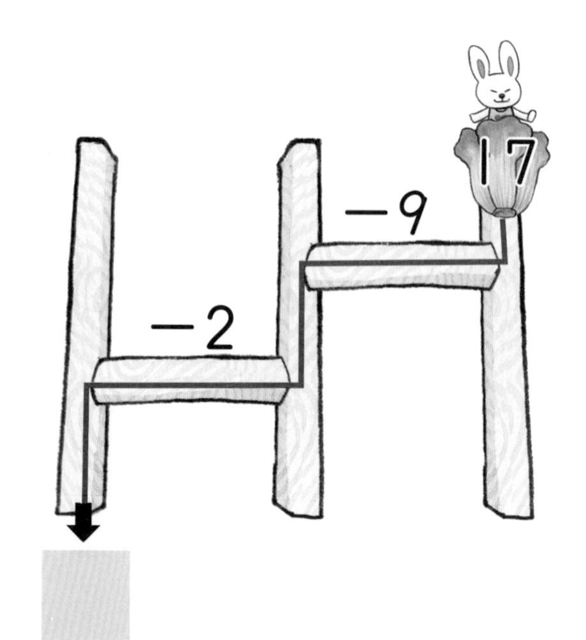

빨셈을 하여 관계있는 것끼리 연결하시오.

오늘은 얼마나 잘했을까요?
칭찬 붙임 딱지를 붙여 주세요!

4 일차 올바른 식 찾기

주어진 식 중 올바른 식을 찾아 ○표 하시오.

보기

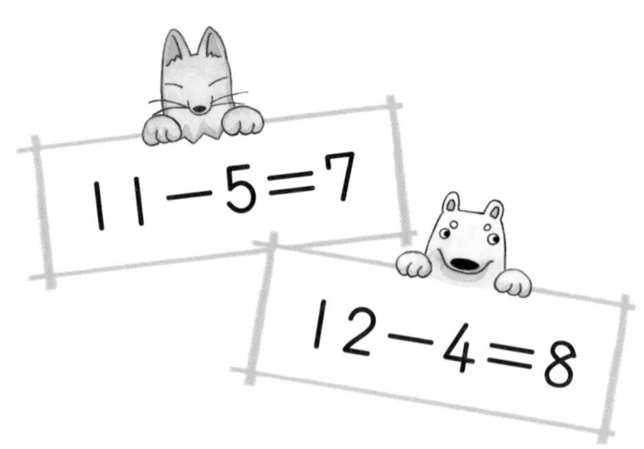

주어진 계산 값이 나오는 뺄셈식을 찾아 ○표 하시오.

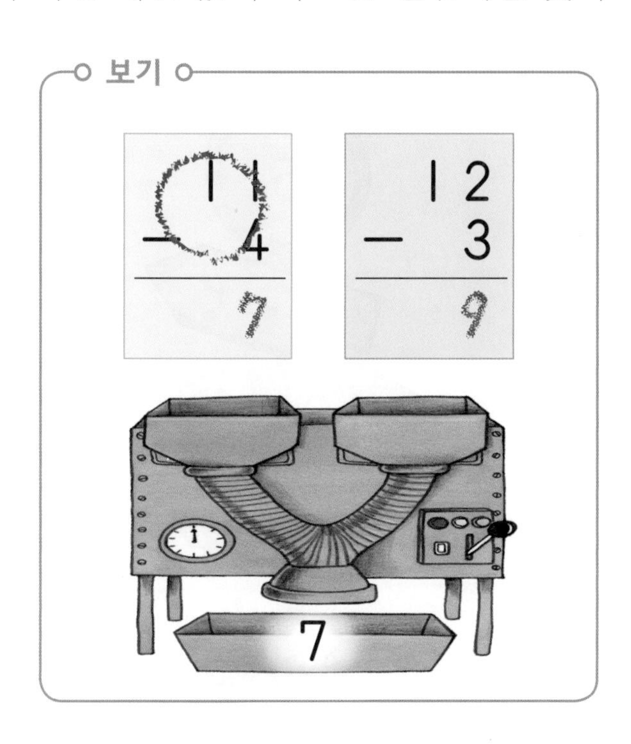

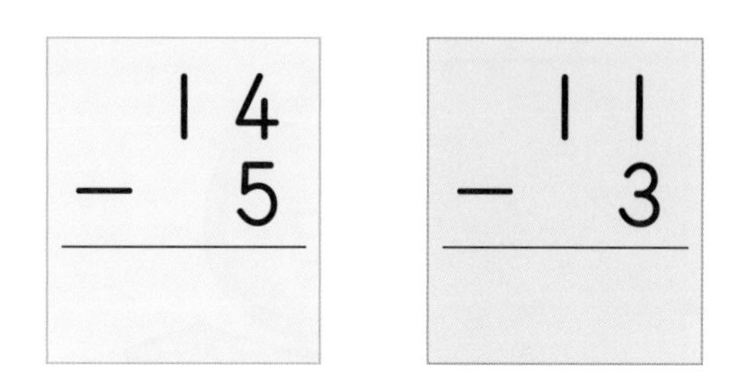

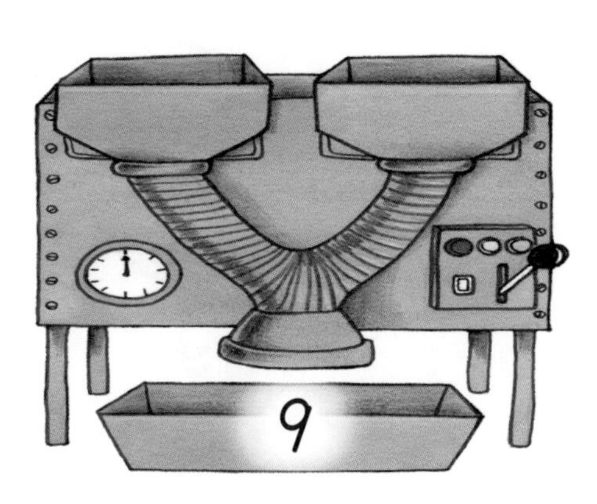

$$\begin{array}{r} 13 \\ -\ \ 8 \\ \hline \end{array} \qquad \begin{array}{r} 15 \\ -\ \ 9 \\ \hline \end{array}$$

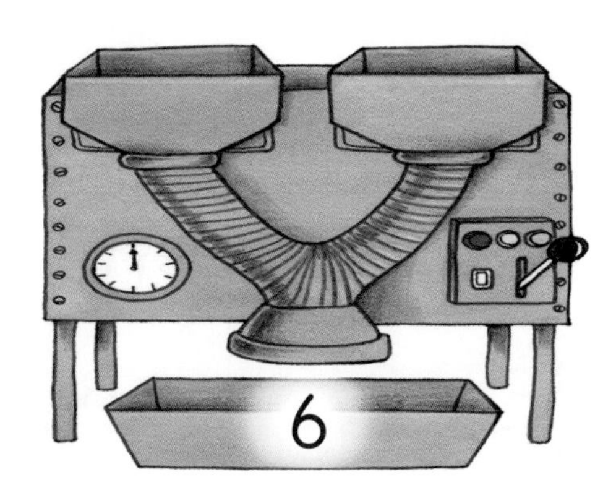

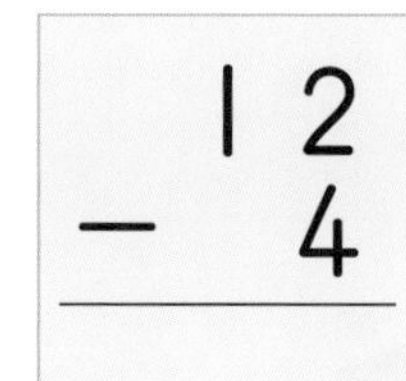

2
A03

주어진 계산 값이 나오는 뺄셈식 2개를 찾아 ○표 하시오.

보기

빼셈한 결과와 같은 칸을 찾아 해당하는 글자를 써넣으시오.

사 10－8＝ 2

족 18－9＝

하 12－5＝

! 12－6＝

는 13－8＝

15－7＝ 우

10－9＝ 랑

11－8＝ 가

13－9＝ 리

2	1	7	5	8	4	3	9	6
사								

오늘은 얼마나 잘했을까요?
칭찬 붙임 딱지를 붙여 주세요!

5 일차

뺄셈표

규칙을 찾아 빈칸에 알맞은 수를 써넣으시오.

보기

규칙을 찾아 빈칸에 알맞은 수를 써넣으시오.

보기

2
A03

🌼 규칙을 찾아 빈칸에 알맞은 수를 써넣으시오.

−		15
7	4	
8	3	7

−	12	16
8	4	8
	3	

계산 결과와 같은 칸을 찾아 해당하는 글자를 써넣고 수수께끼를 해결해 보시오.

비	면	기
$13 - 5 = 8$	$11 - 8$	$12 - 5$

하	가	자
$14 - 8$	$11 - 9$	$10 - 6$

개	소
$13 - 4$	$12 - 7$

8	2	4	7	5	9	6	3
비							

?

답 ➡ 

A03 뺄셈구구

학습관리표

일 자			소요 시간	틀린 문항 수	확인
1 일차	월	일	:		
2 일차	월	일	:		
3 일차	월	일	:		
4 일차	월	일	:		
5 일차	월	일	:		

3 주

1일차 | 투탕카멘 게임 66
2일차 | 성냥개비 셈 70
3일차 | 길 찾기 74
4일차 | 화살표 약속 78
5일차 | 뺄셈 로봇 82

1 일차 투탕카멘 게임

규칙을 찾아 ▲ 안에 알맞은 수를 써넣으시오.

보기

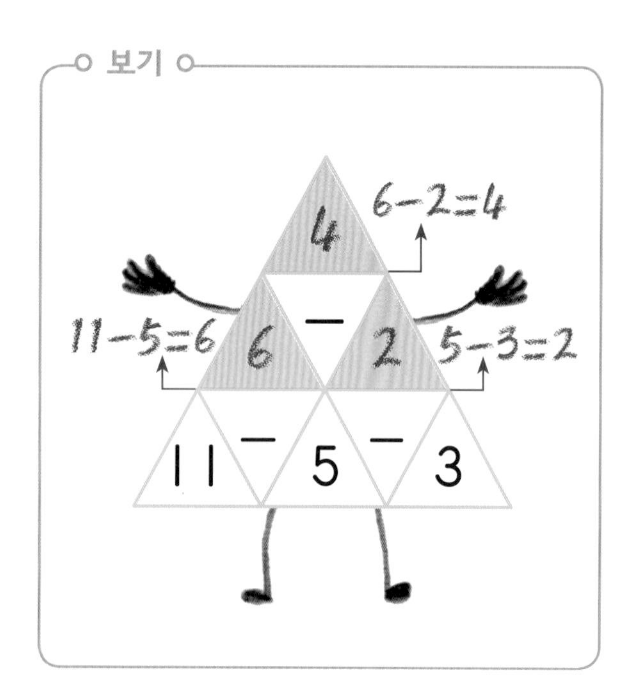

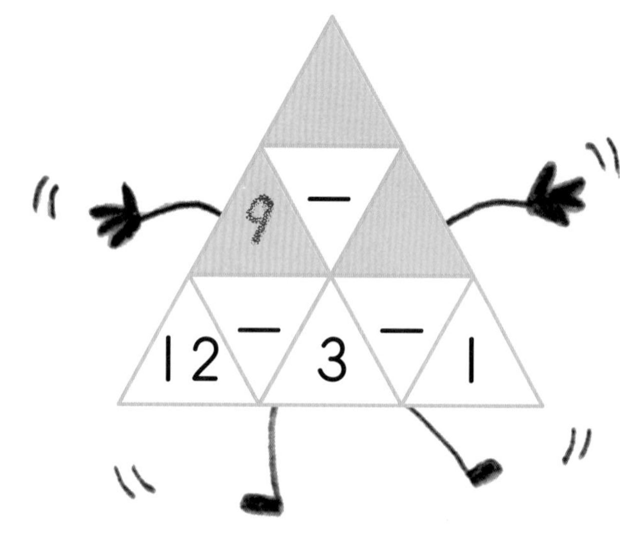

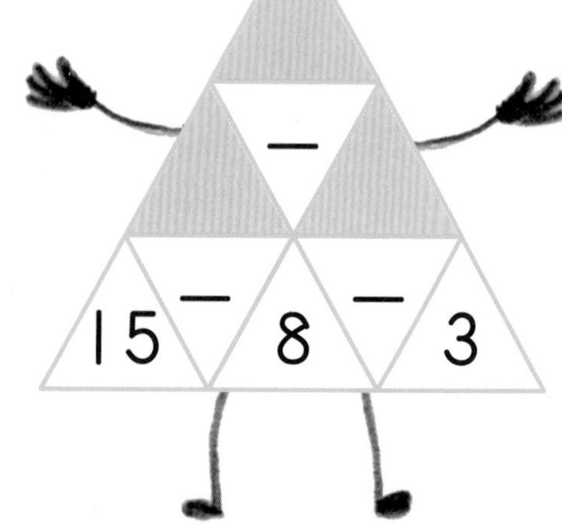

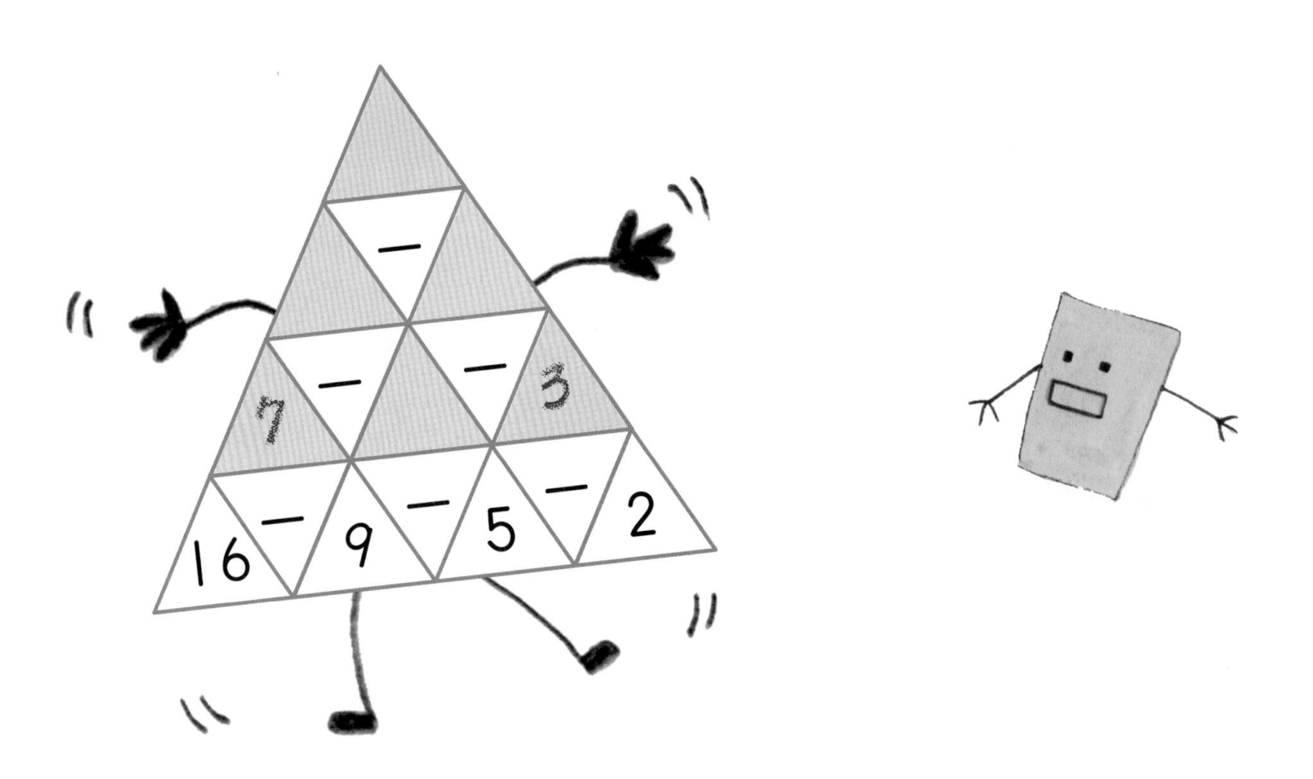

3
A03

규칙을 찾아 ▨ 안에 알맞은 수를 써넣으시오.

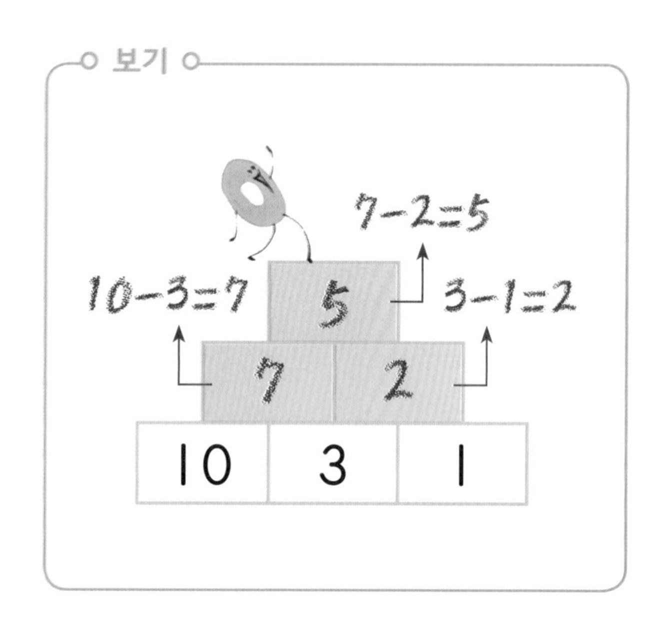

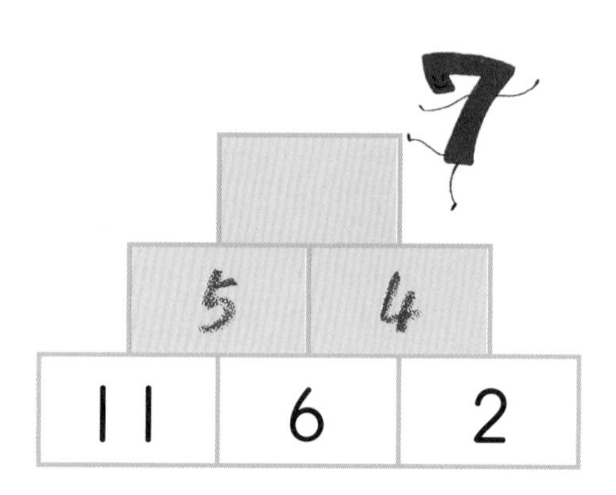

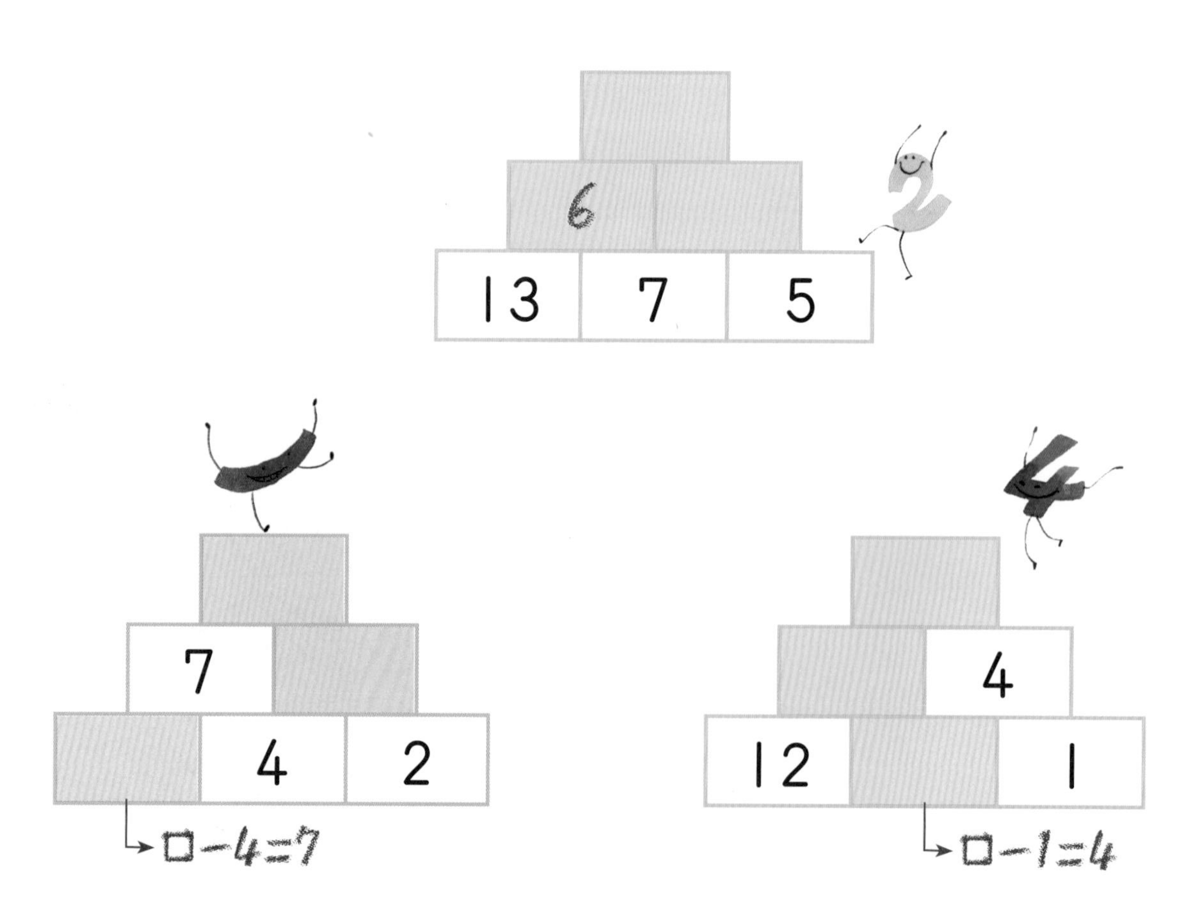

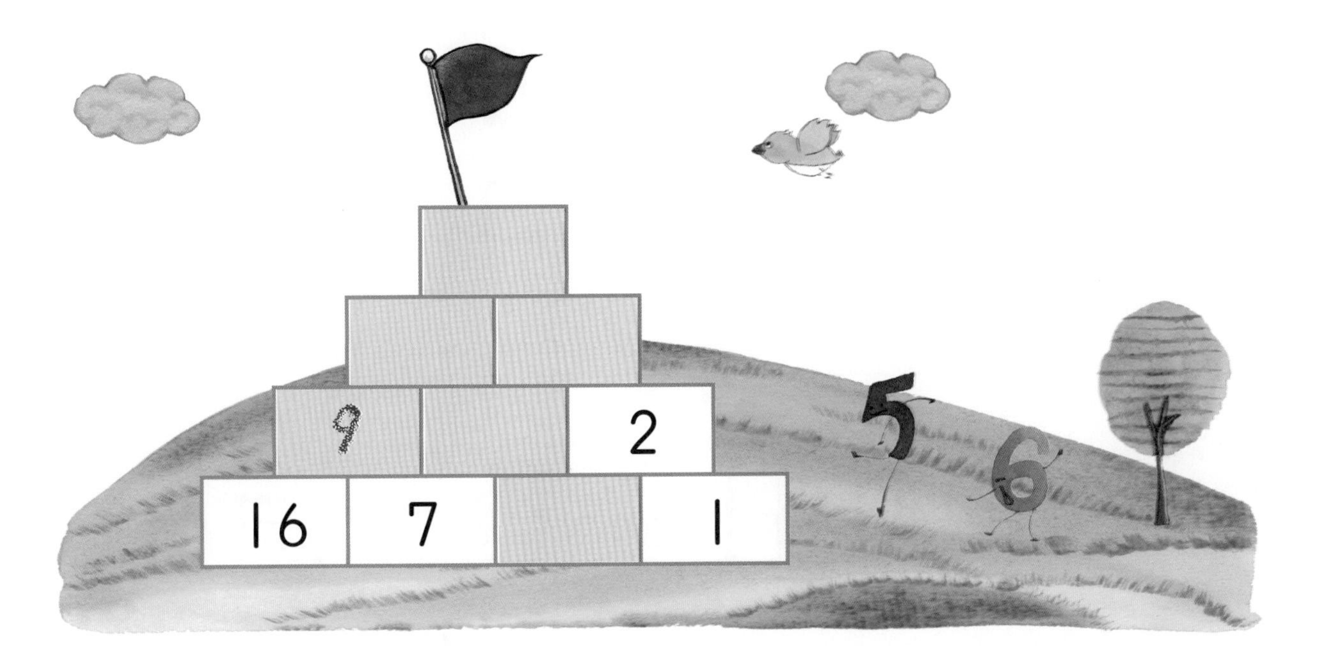
9
2
16
7
1
5
6

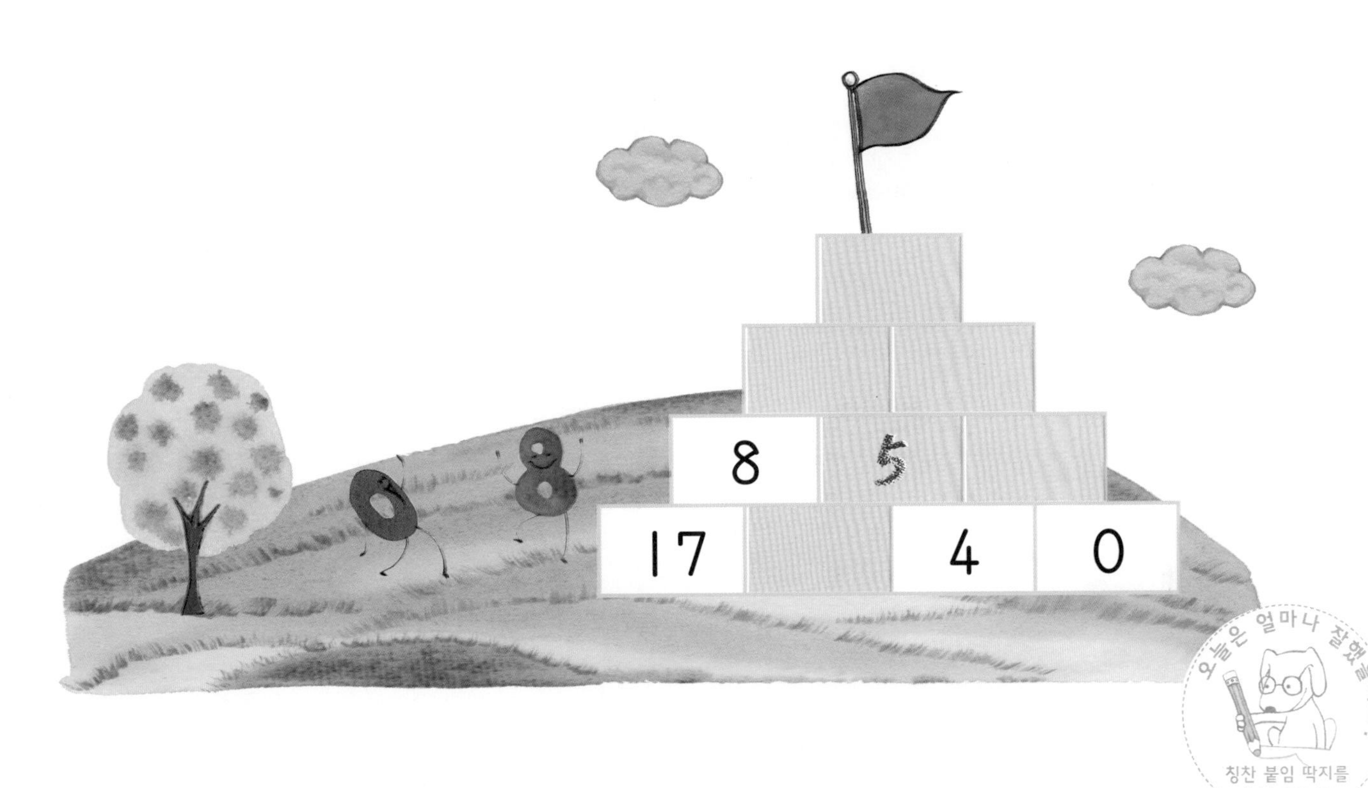
8
5
17
4
0
오늘은 얼마나 잘했을까요?
칭찬 붙임 딱지를
붙여 주세요!

성냥개비 셈

■ 안에서 성냥개비 1개를 빼야 할 곳을 찾아 ╳표 하고, 올바른 식을 쓰시오.

온라인 활동지

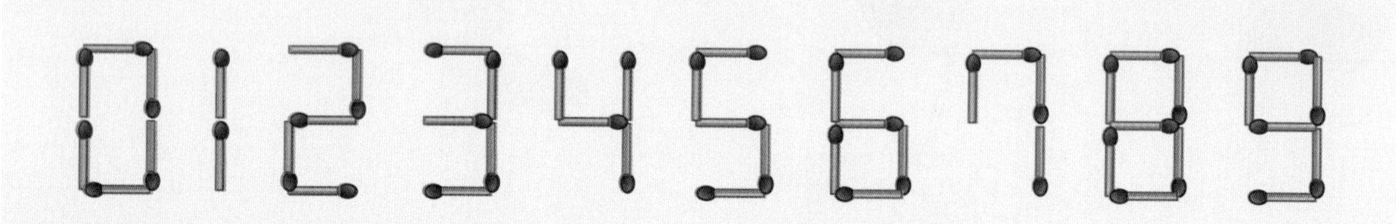

보기

19－7＝8 → 19－7＝8

식 ➡ 15－7＝8

15－9＝8

식 ➡

12－7＝9

식 ➡

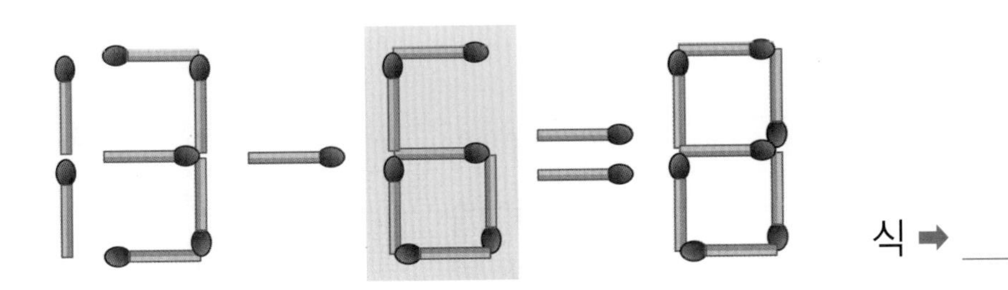

식 ➡ ____________________

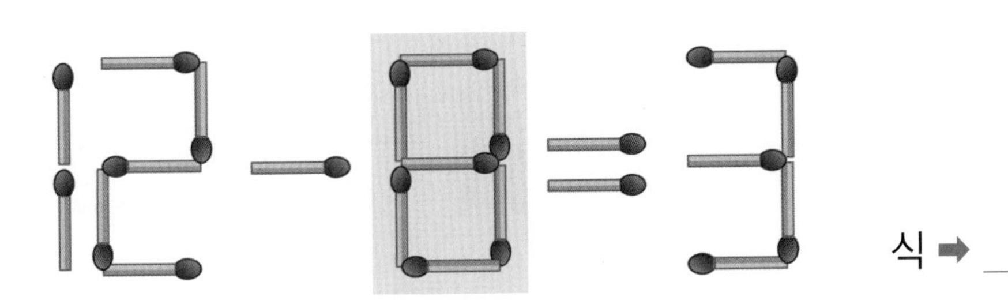

식 ➡ ____________________

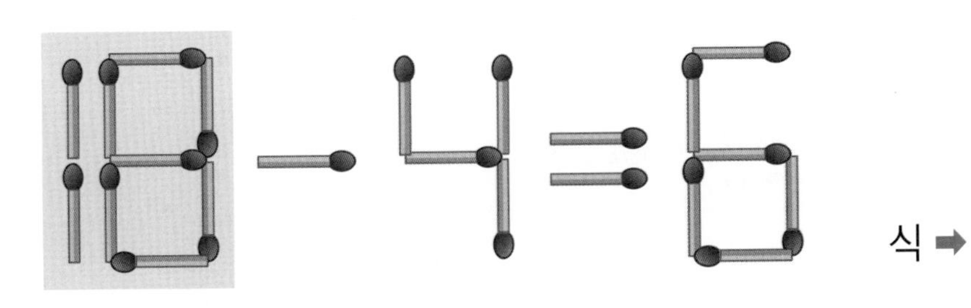

식 ➡ ____________________

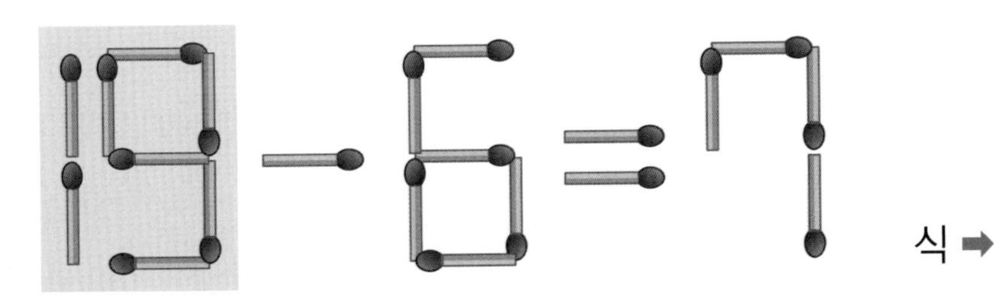

식 ➡ ____________________

안에서 성냥개비 **1개를 옮겨야** 할 곳을 표시하고, 올바른 식을 쓰시오.

온라인 활동지

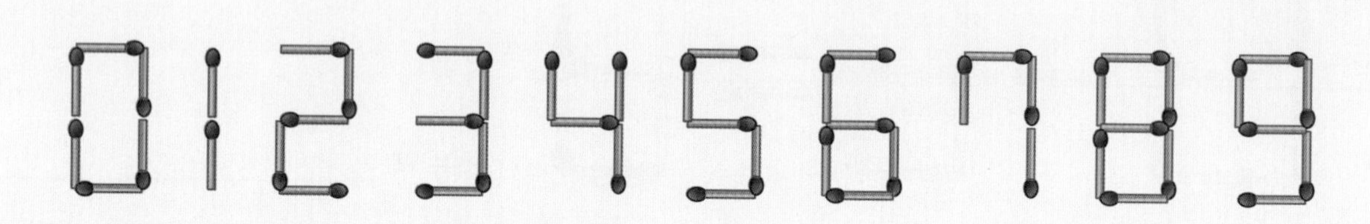

보기

13 − 7 = 5 ➡ 12 − 7 = 5

식 ➡ 12−7=5

10 − 4 = 9

식 ➡ ______________________

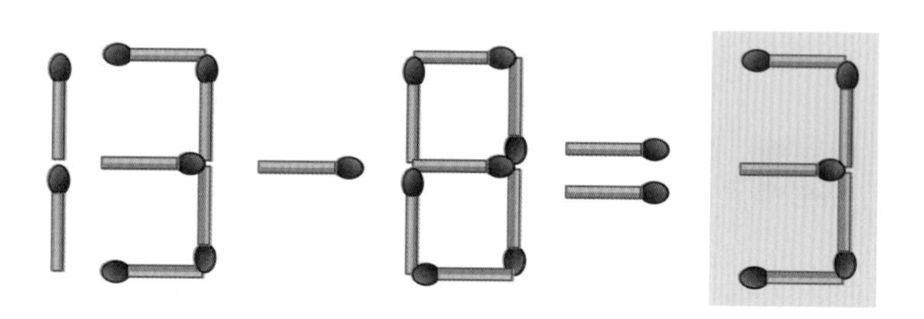

식 ➡ ______________________

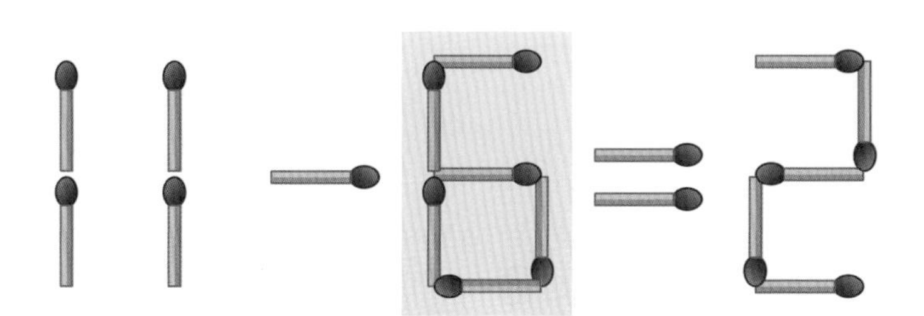

식 ➡ ______________________

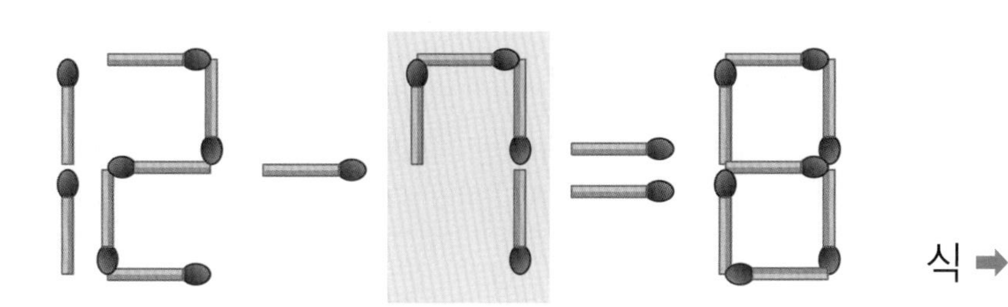

식 ➡ ______________________

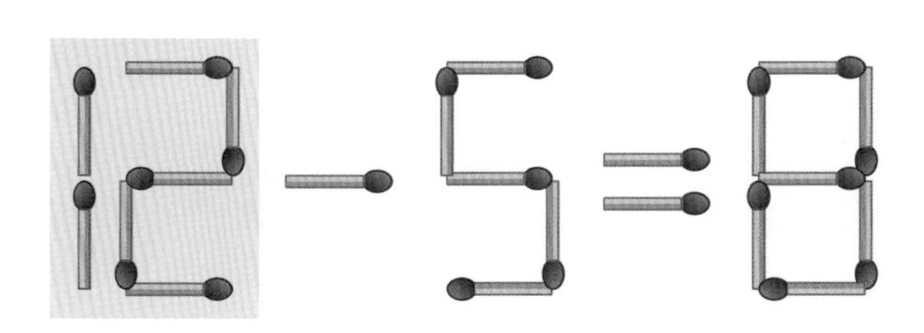

식 ➡ ______________________

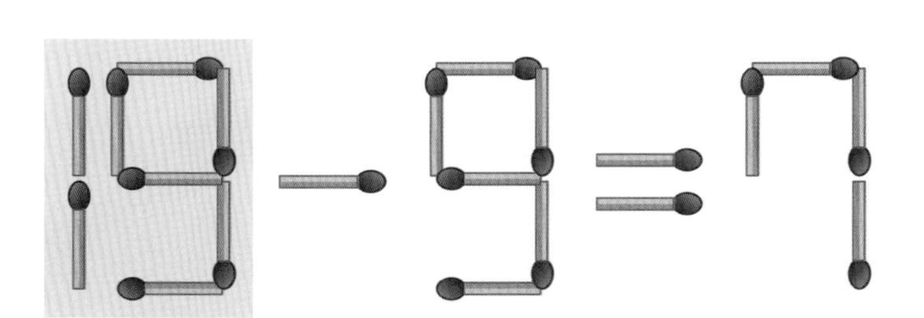

식 ➡ ______________________

오늘은 얼마나 잘했을까요?
칭찬 붙임 딱지를 붙여 주세요!

길 찾기

올바른 뺄셈식이 되도록 선을 그어 보시오.

보기

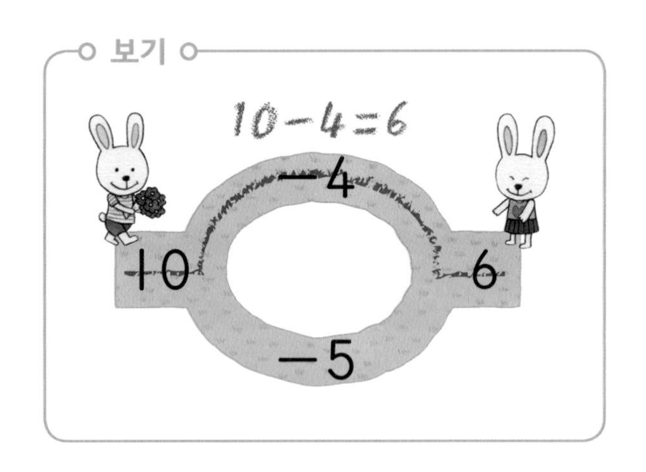

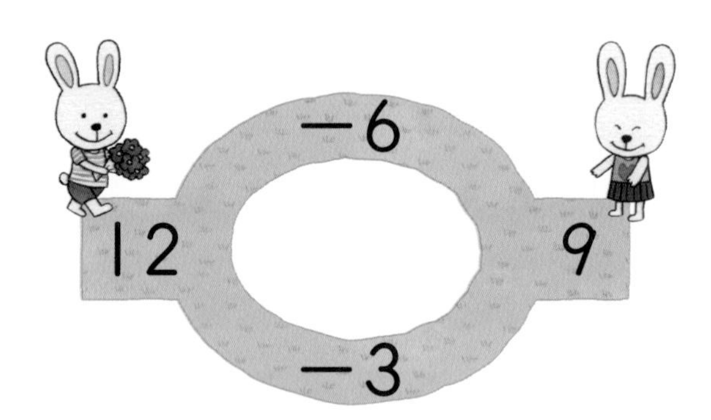

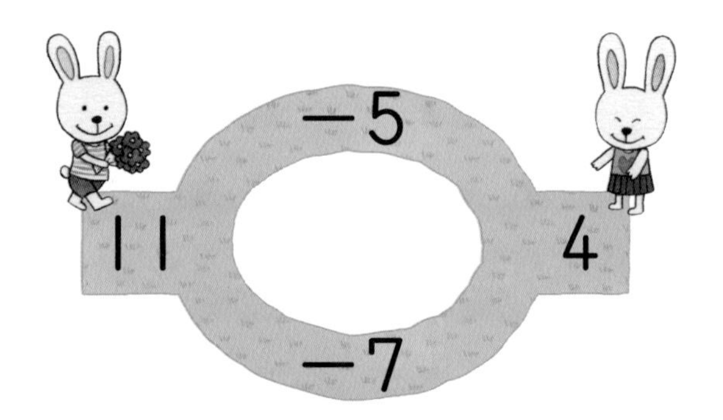

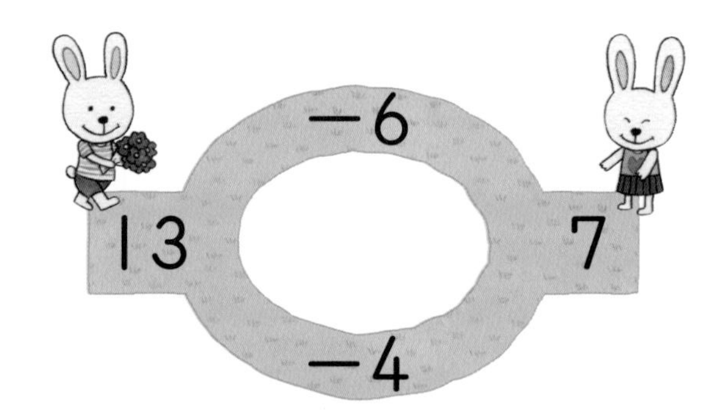

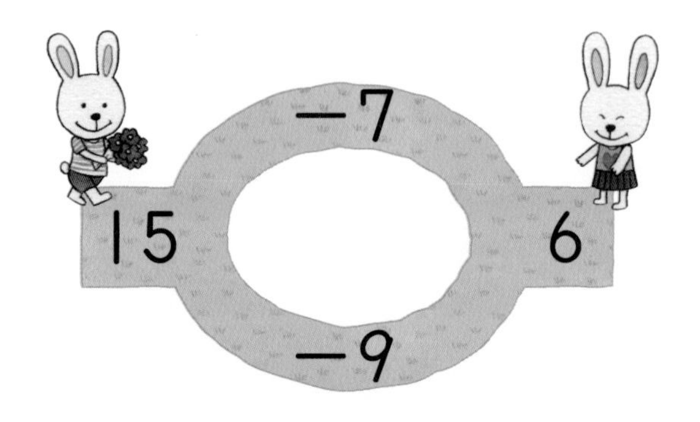

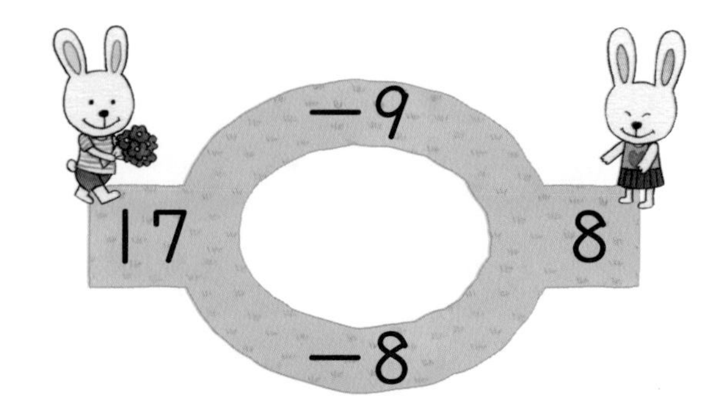

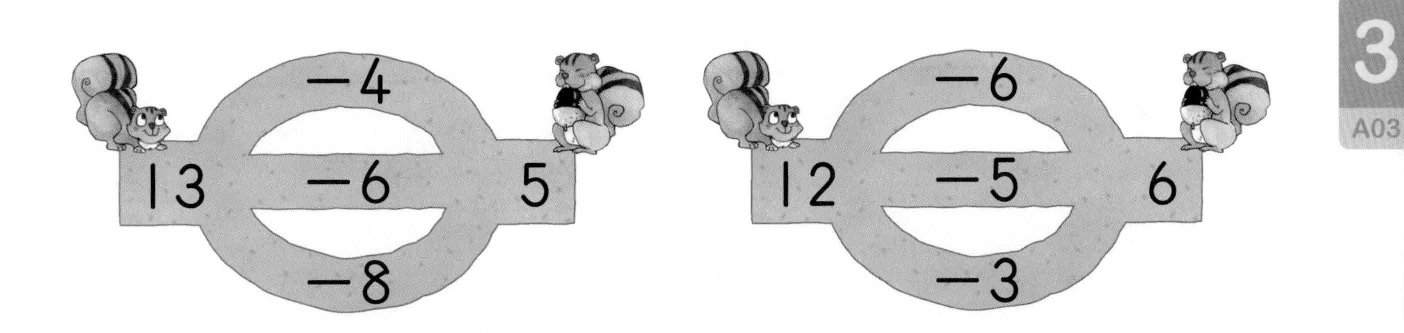

3
A03

자동차가 지나간 길의 두 수의 차가 나오도록 길을 그리고, 식으로 나타내시오.

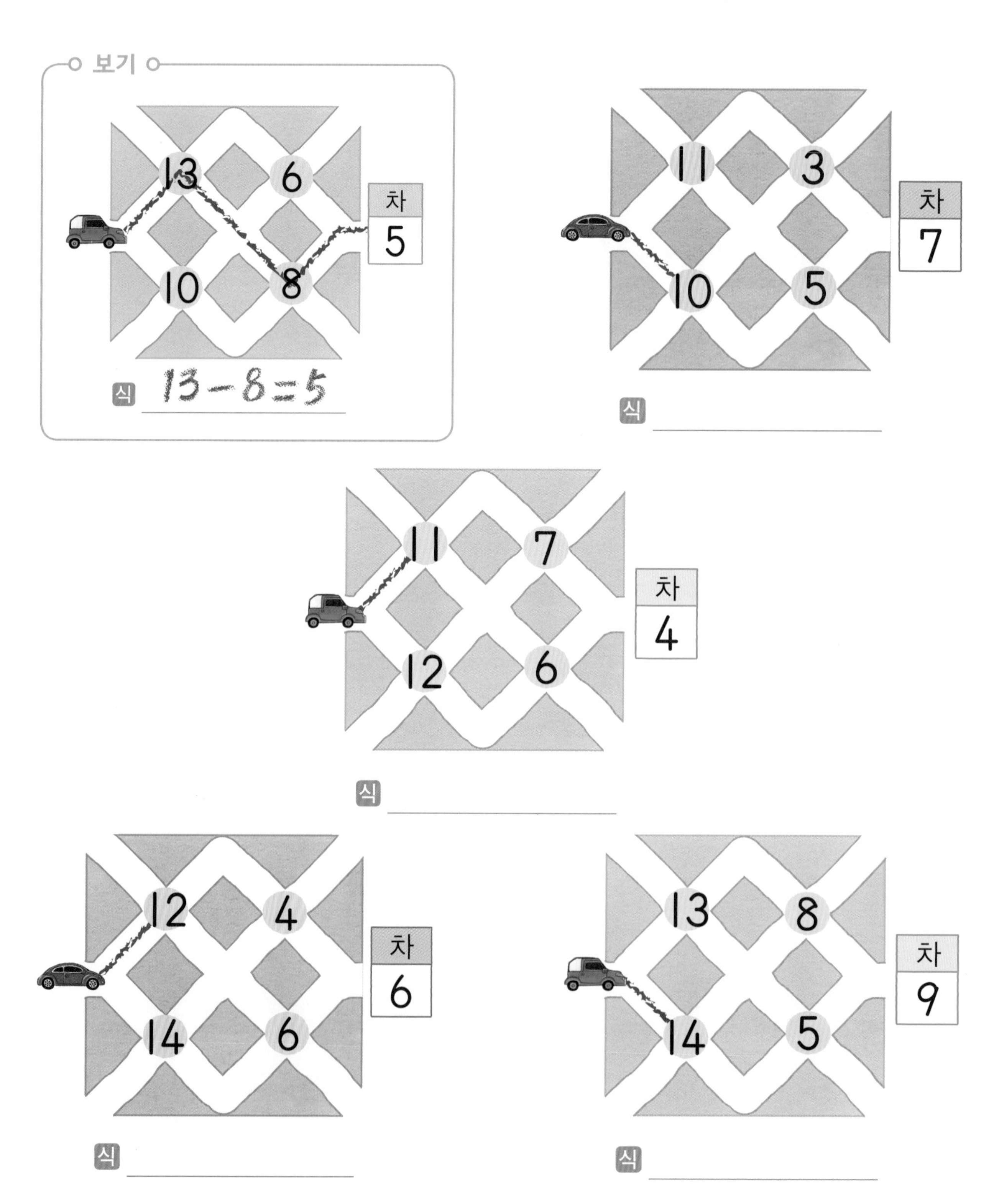

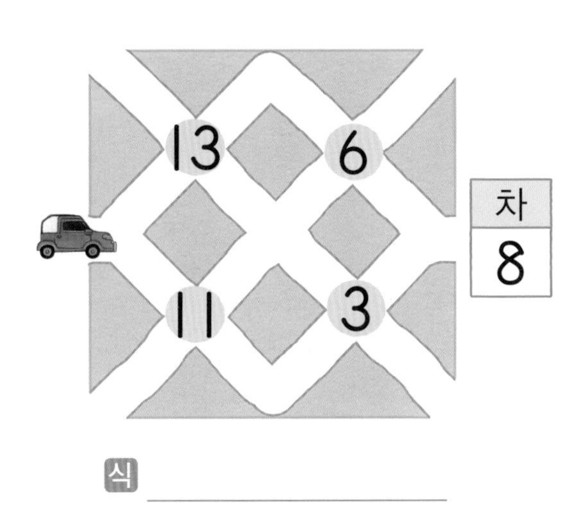
13
6
11
3
차
8

식

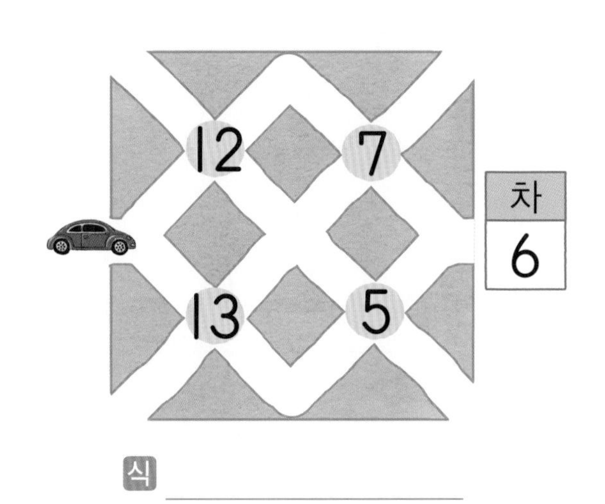
12
7
13
5
차
6

식

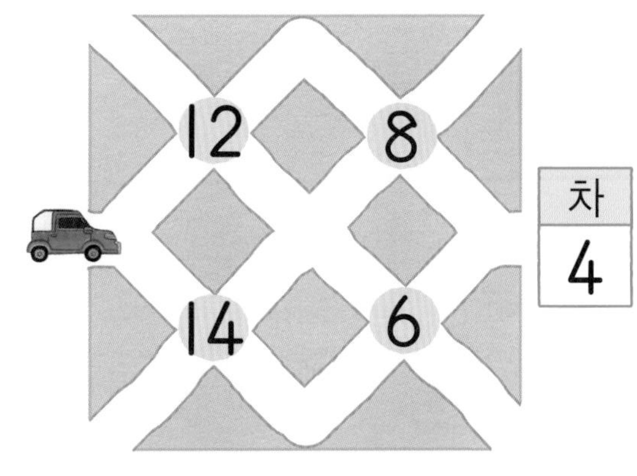

12
8
14
6
차
4

식

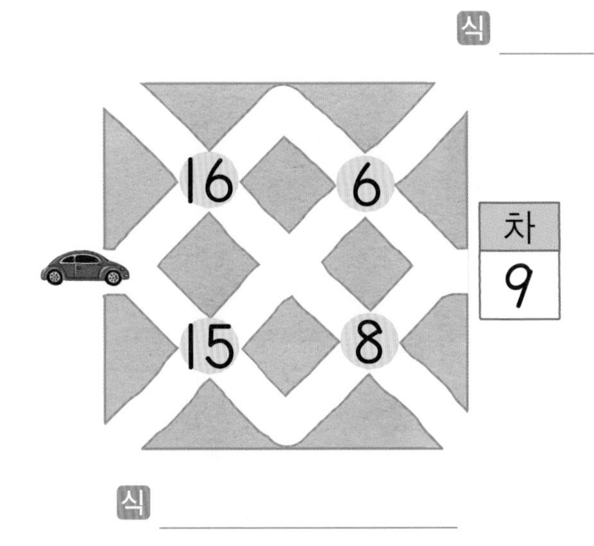
16
6
15
8
차
9

식

17
8
16
9
차
7

식

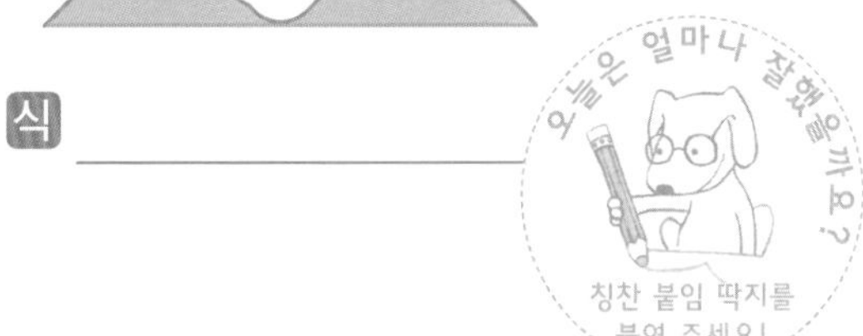
오늘은 얼마나 잘했을까요?
칭찬 붙임 딱지를
붙여 주세요!

4 일차 화살표 약속

규칙을 찾아 ▒ 안에 알맞은 수를 써넣으시오.

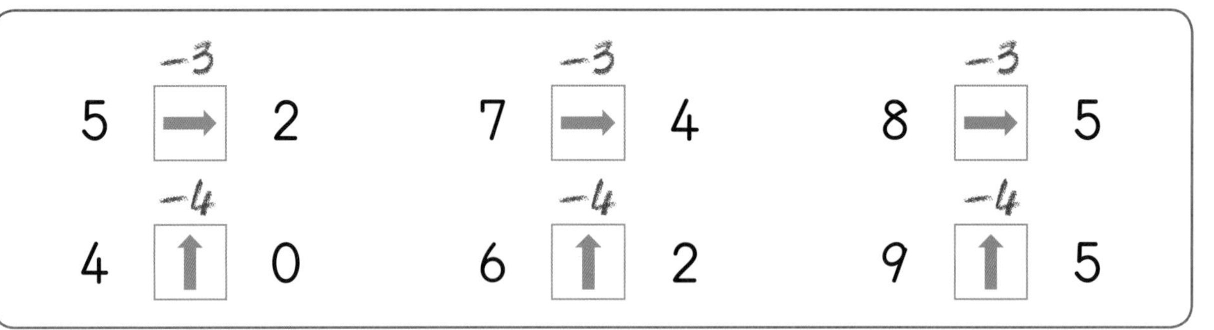

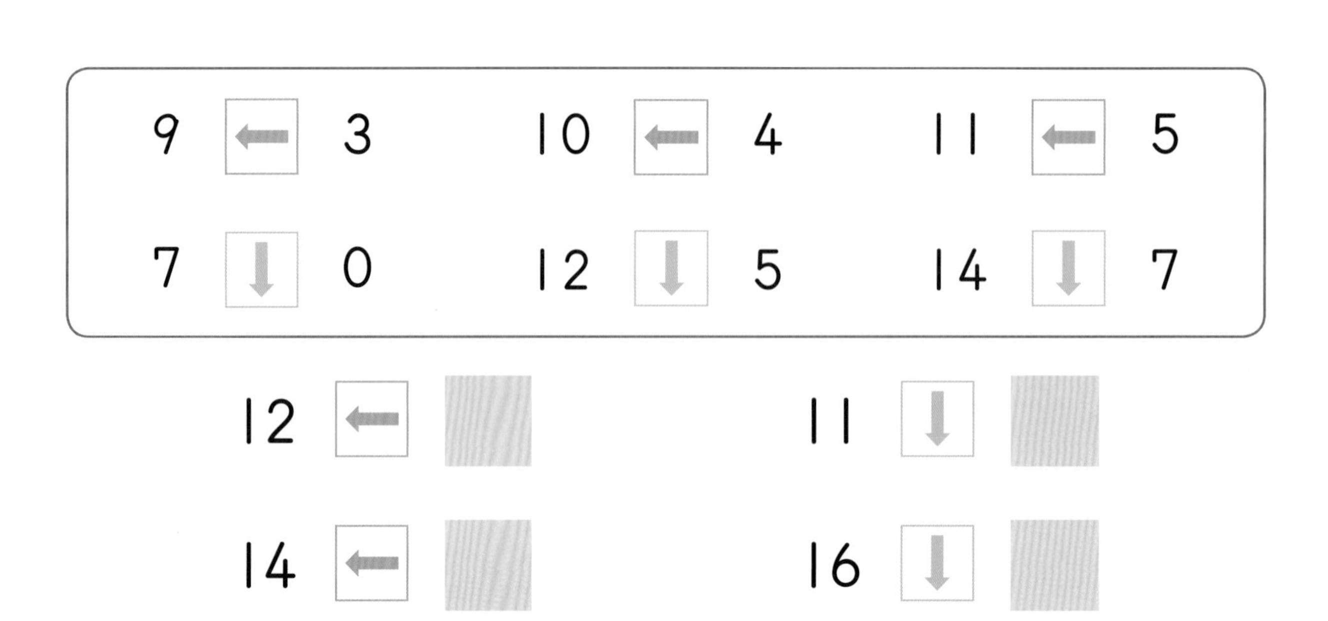

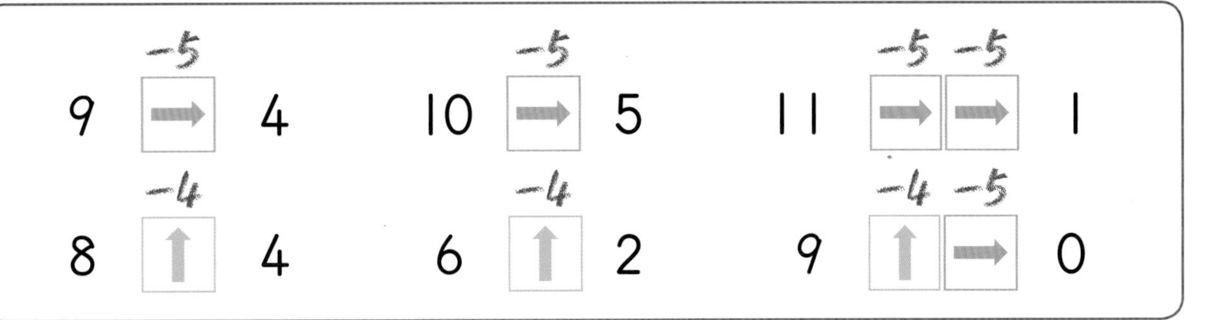
-5
9 4
-5
10 5
-5 -5
11 1
-4
8 4
-4
6 2
-4 -5
9 0

-5 -4
11
12
14
14

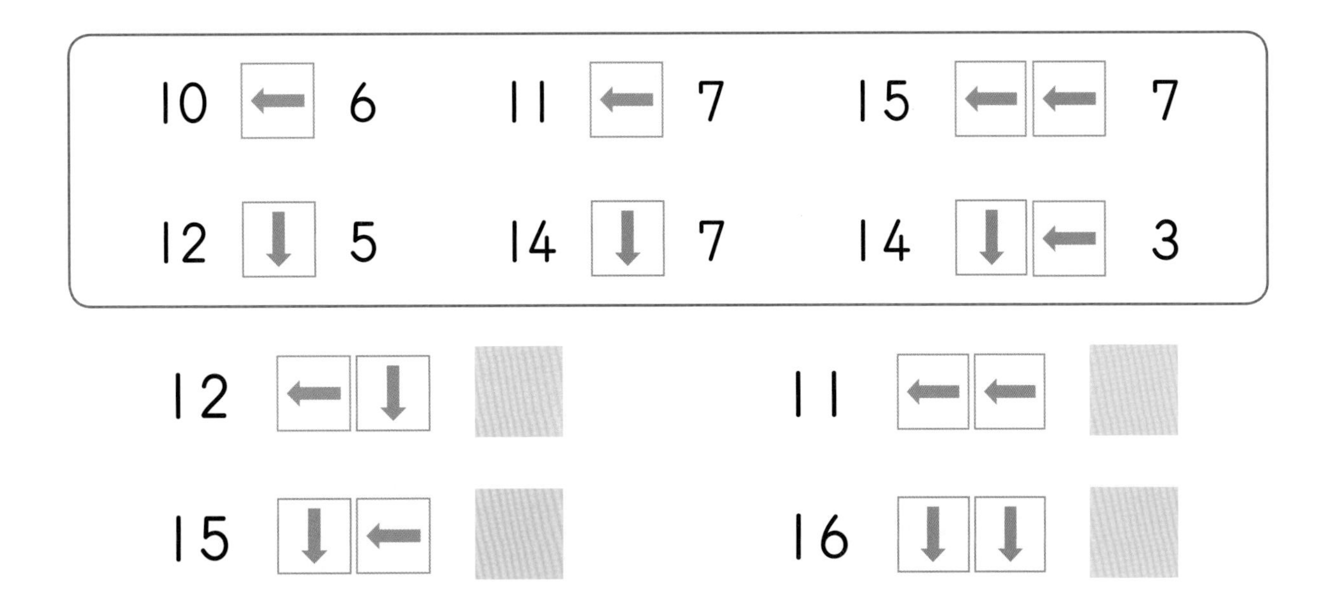
10 6
11 7
15 7
12 5
14 7
14 3
12
11
15
16

규칙을 찾아 빈 곳에 알맞은 수를 써넣으시오.

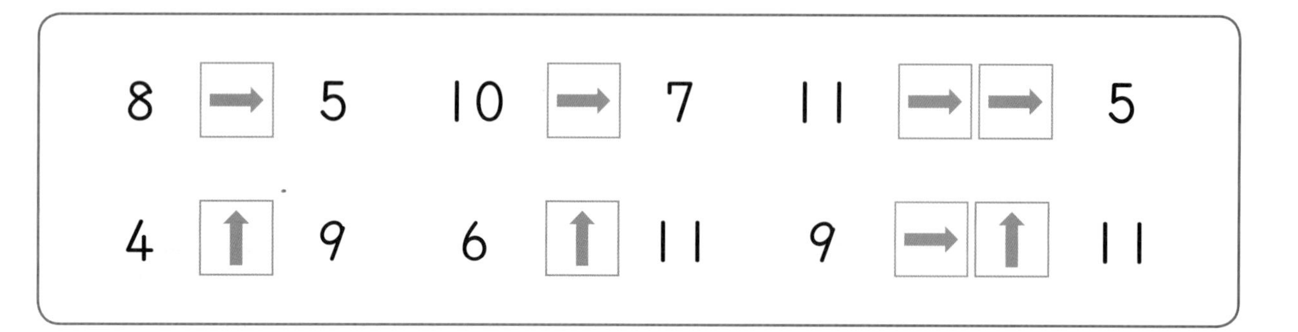

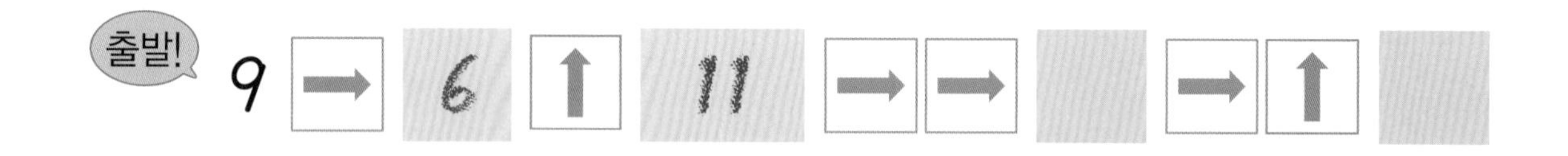

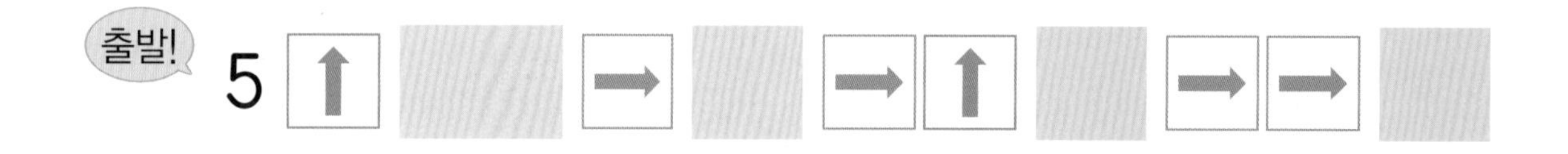

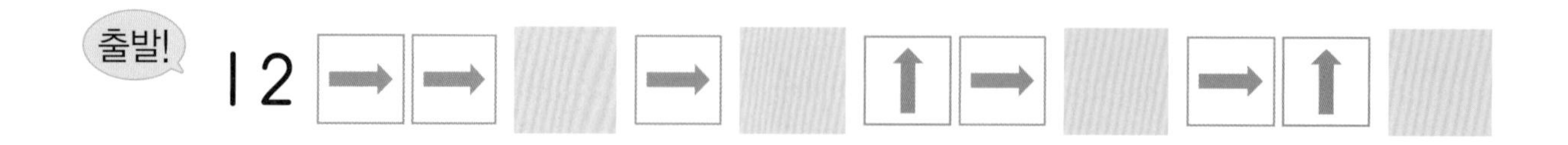

규칙을 찾아 빈 곳에 알맞은 화살표를 그려 넣으시오.

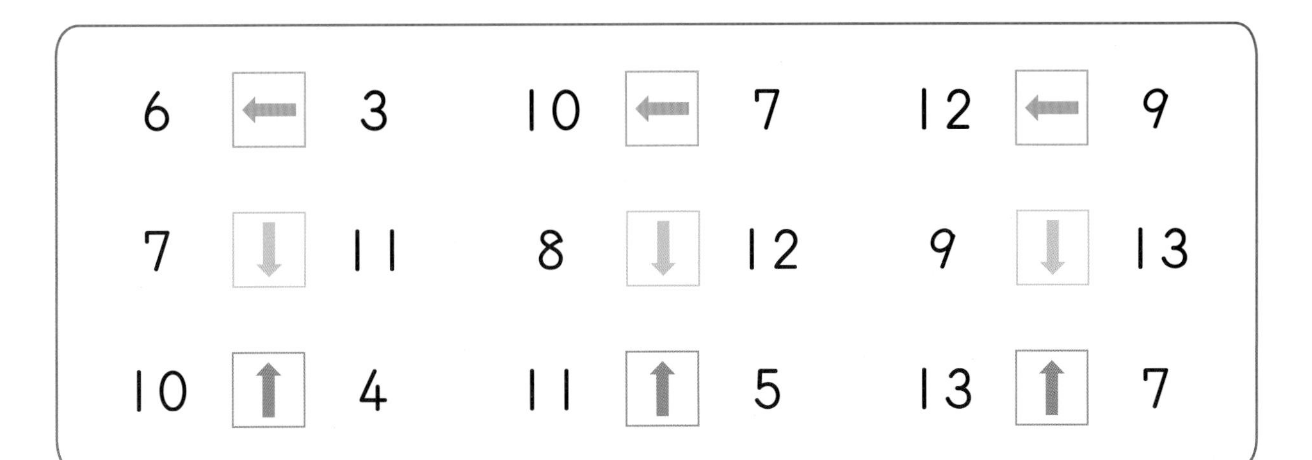

출발! 13 □ 7 ↓ 11 ← 8 □ 5 □ 9

출발! 11 □ 8 ↑ 2 □ 6 □ 10 □ 4

5 일차

뺄셈 로봇

뺄셈 로봇이 미로를 통과한 길을 표시하시오.

보기

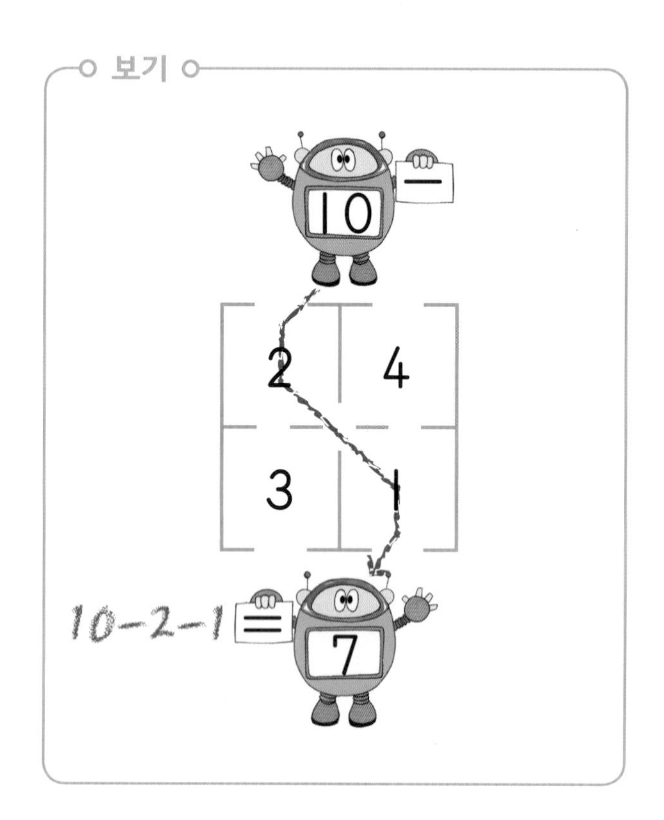

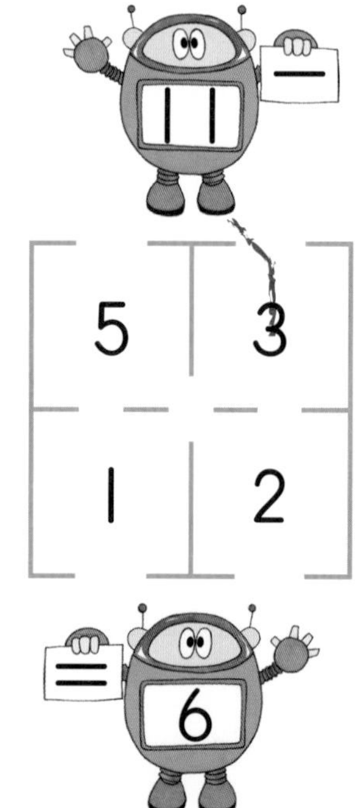

2	5
3	4

7	6
3	1

4	8
1	3

5	6
2	4

빨셈 로봇이 통과한 길을 **2가지** 방법으로 표시하시오.

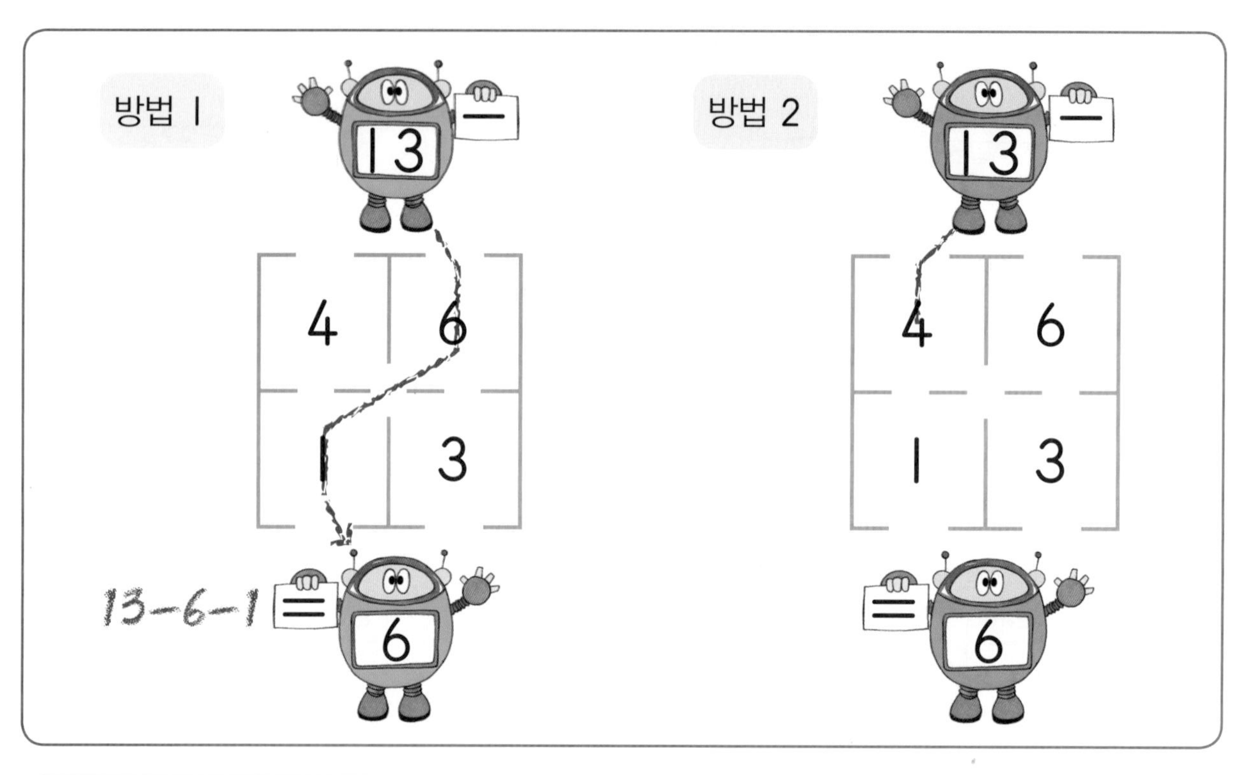

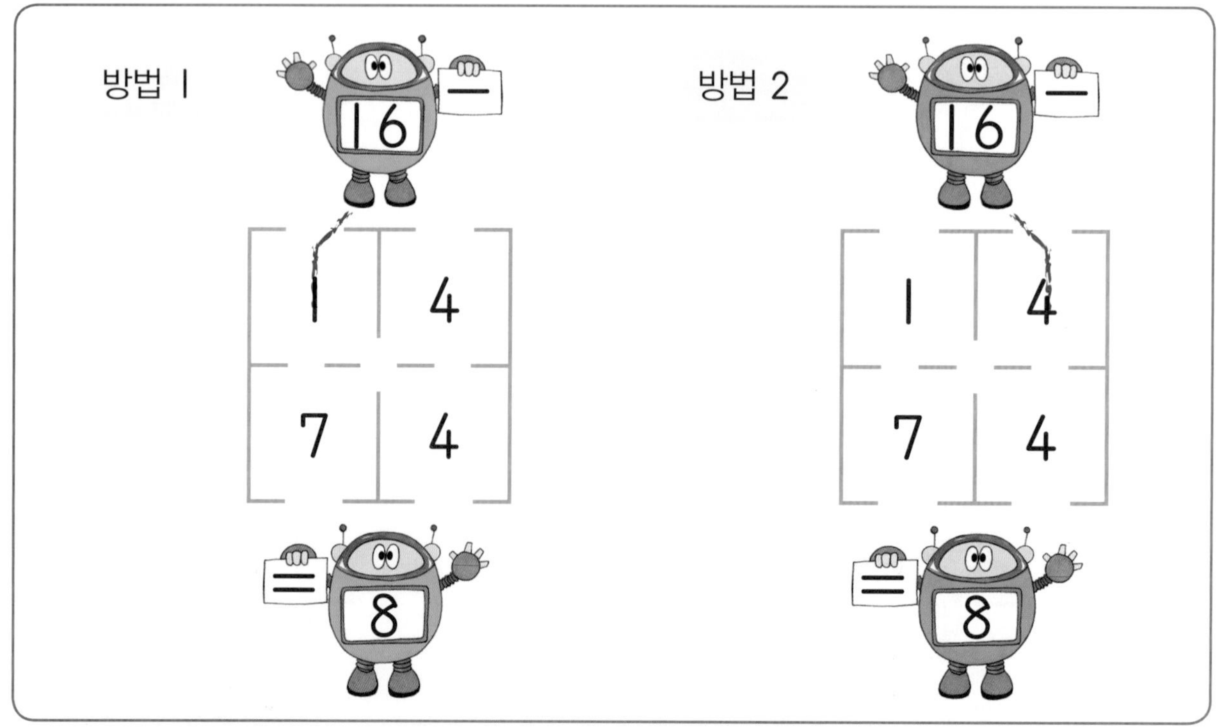

방법 1

15 −

6	7	8
5	3	1

= 6

방법 2

15 −

6	7	8
5	3	1

= 6

오늘은 얼마나 잘했을까요?
칭찬 붙임 딱지를 붙여 주세요!

A03
빨셈구구

일 자			소요 시간	틀린 문항 수	확인
❶ 일차	월	일	:		
❷ 일차	월	일	:		
❸ 일차	월	일	:		
❹ 일차	월	일	:		
❺ 일차	월	일	:		

4 주

1일차 | 저울 셈 ······ 88

2일차 | 뺄셈식 완성하기 ······ 92

3일차 | 도형 셈 ······ 96

4일차 | 목표수 만들기 ······ 100

5일차 | 기호 넣기 ······ 104

저울 셈

양팔 저울이 수평을 이루도록 빈 곳에 알맞은 과일을 찾아 붙임 딱지를 붙이시오.

준비물 ▶ 붙임 딱지

〈과일의 무게〉

1	2	3	4	5	6	7	8	9
체리	오렌지	감	배	사과	포도	복숭아	멜론	파인애플

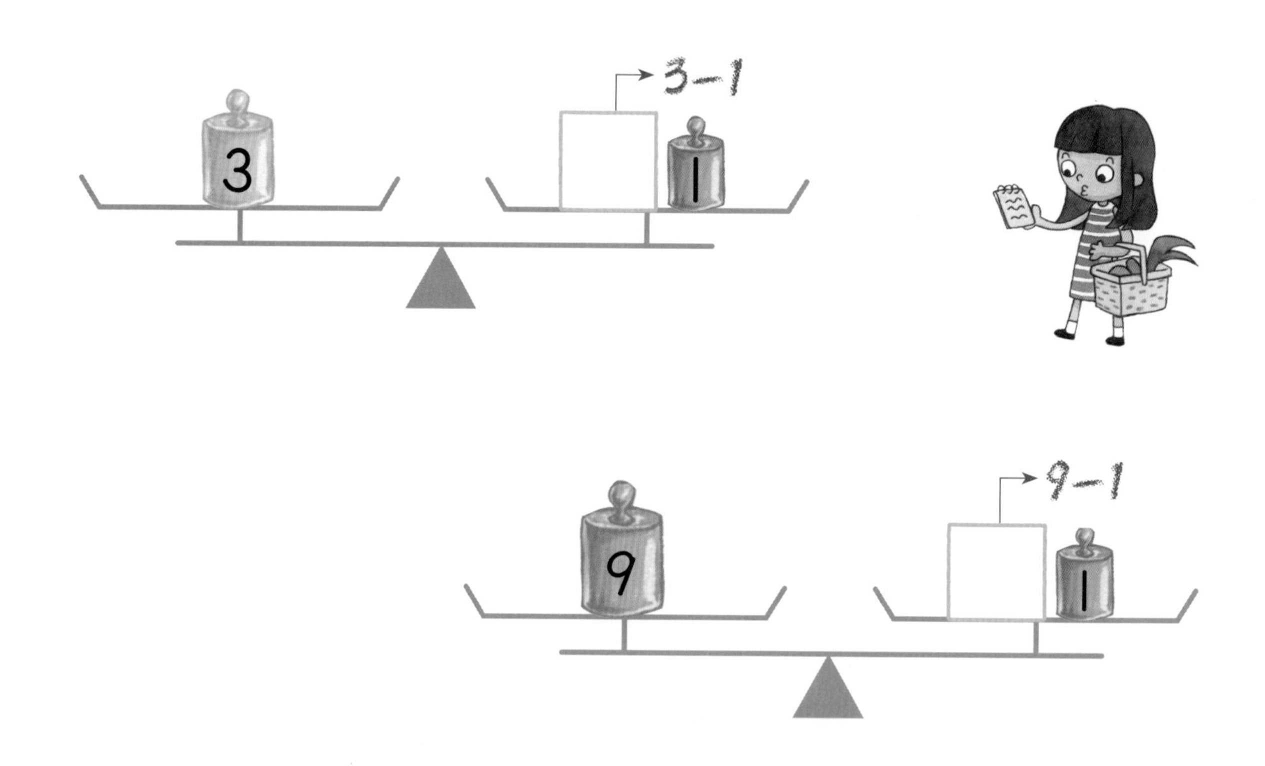

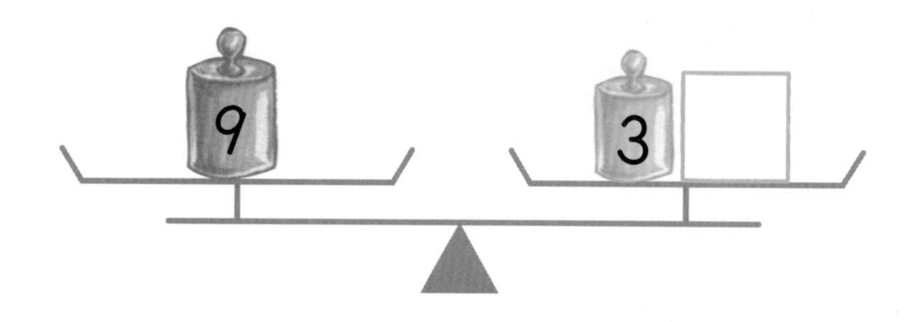

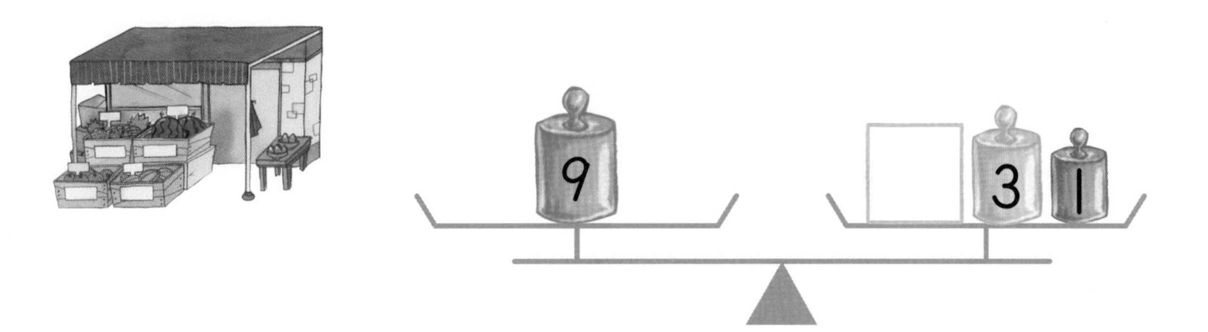
9
3
1

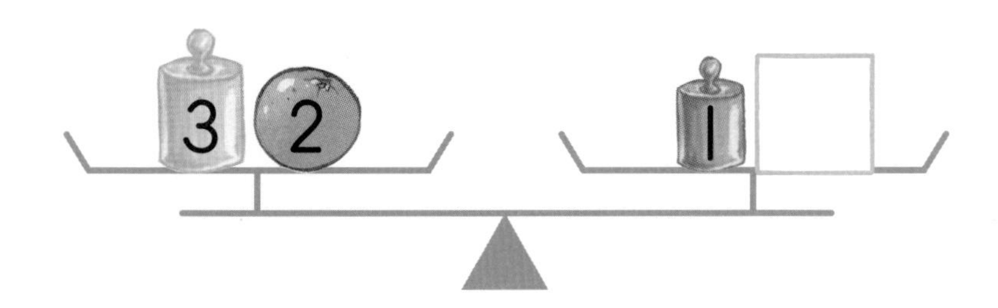
3
2
1

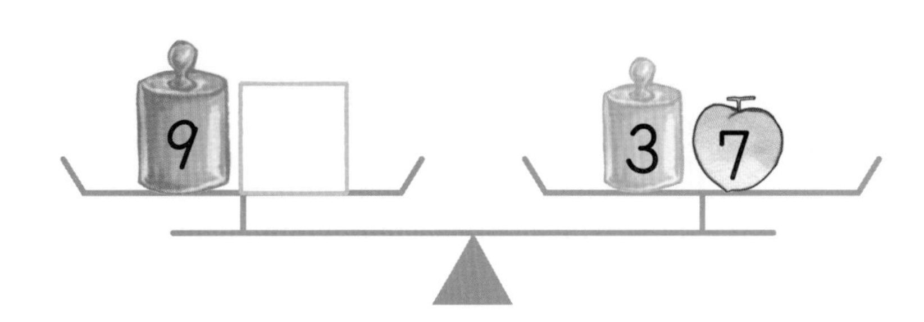
9
3
7

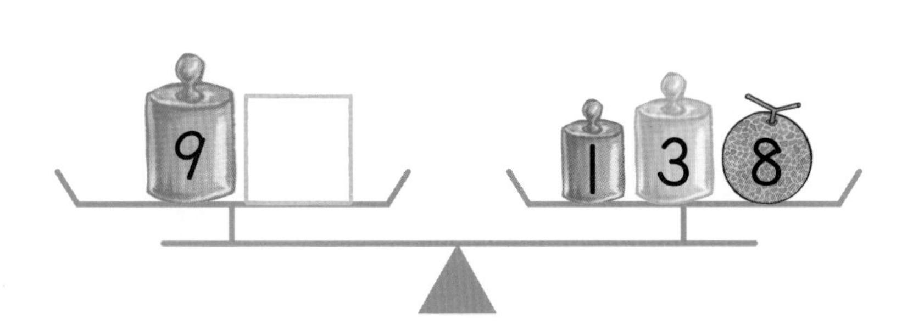
9
1
3
8

양팔 저울이 수평을 이루도록 주어진 추를 알맞게 놓아 보시오.

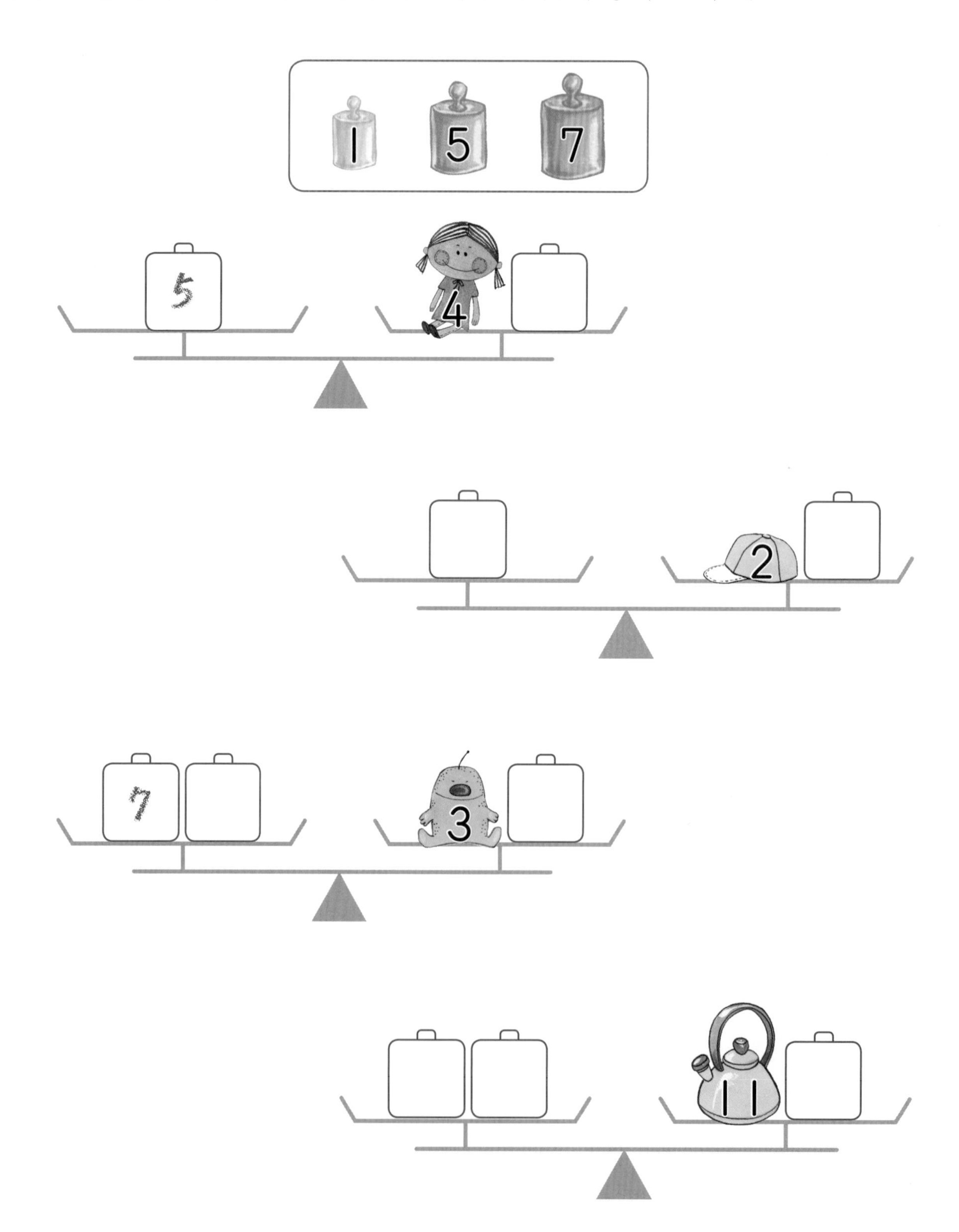

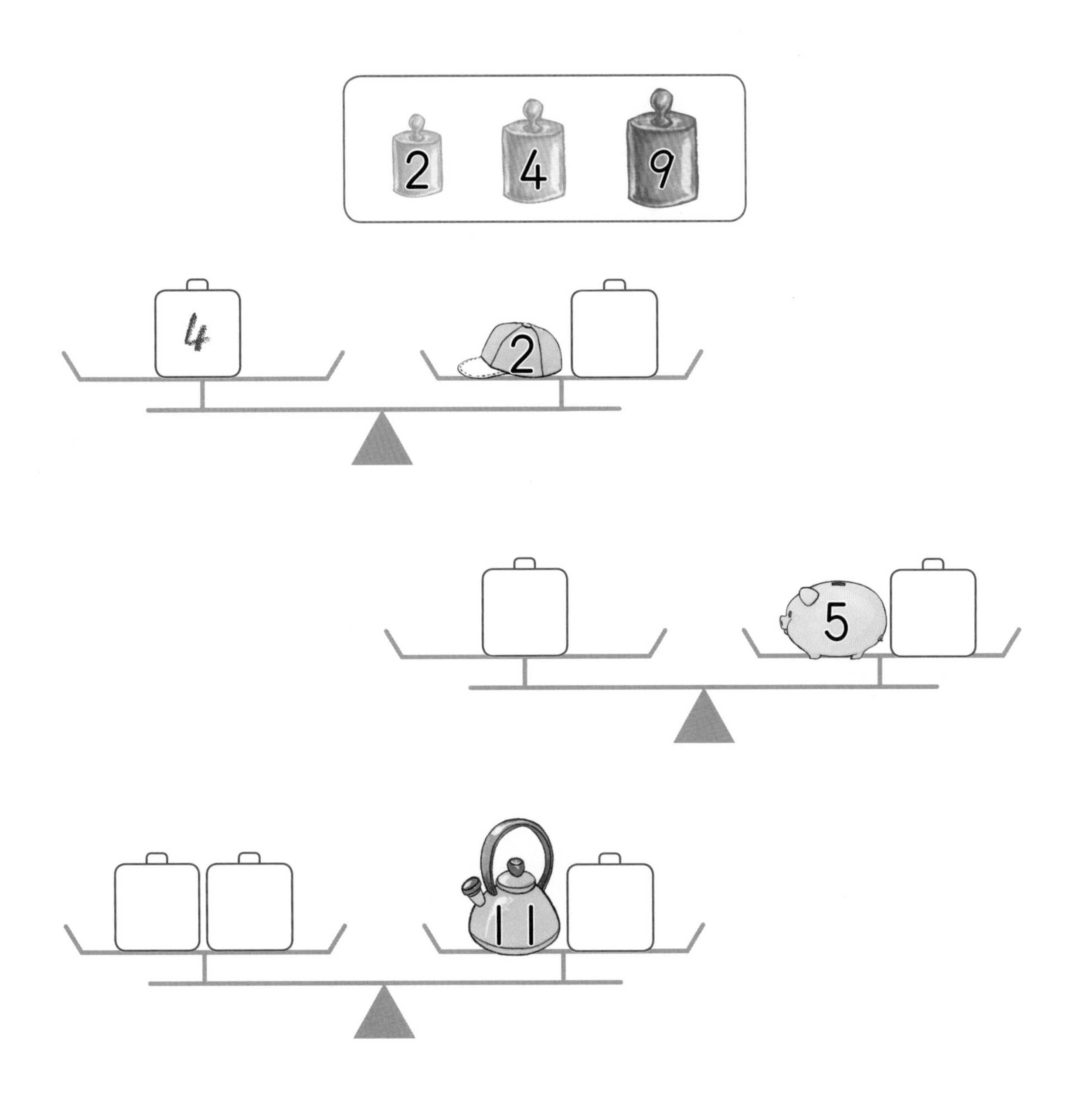

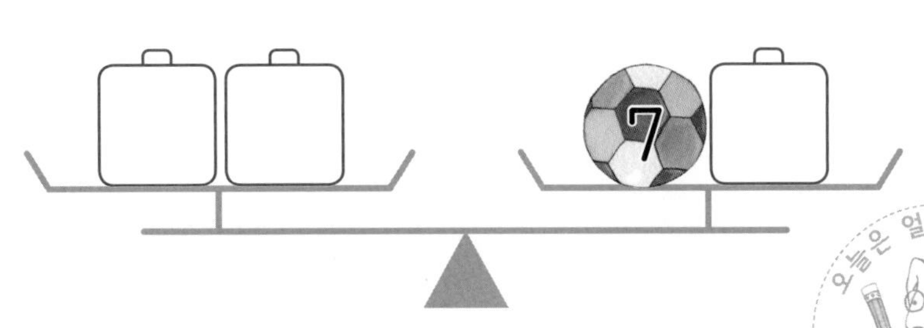

오늘은 얼마나 잘했을까요?
칭찬 붙임 딱지를 붙여 주세요!

뺄셈식 완성하기

숫자 카드를 모두 사용하여 뺄셈식을 완성하시오.

온라인 활동지

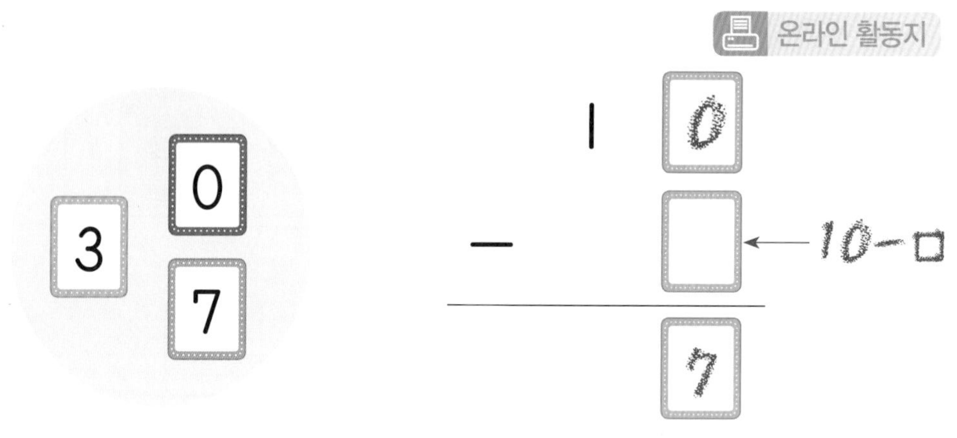

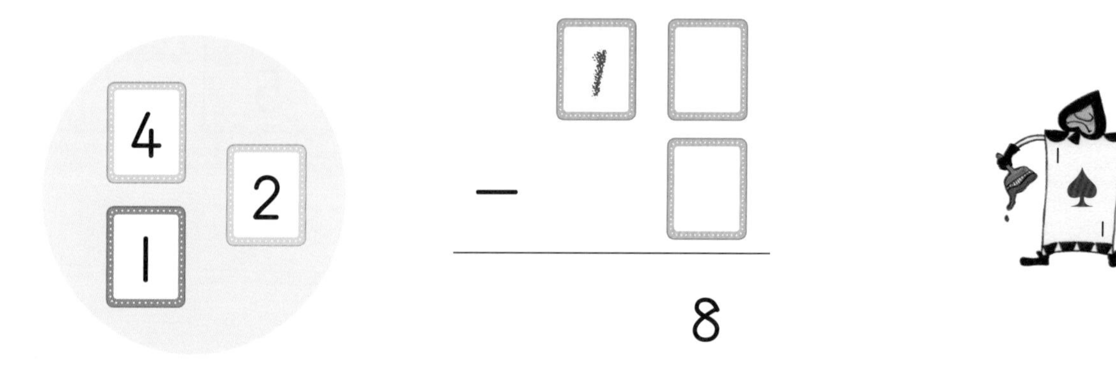

5 4 1

$$
\begin{array}{r} \square\square \\ -\ \ \square \\ \hline 9 \end{array}
$$

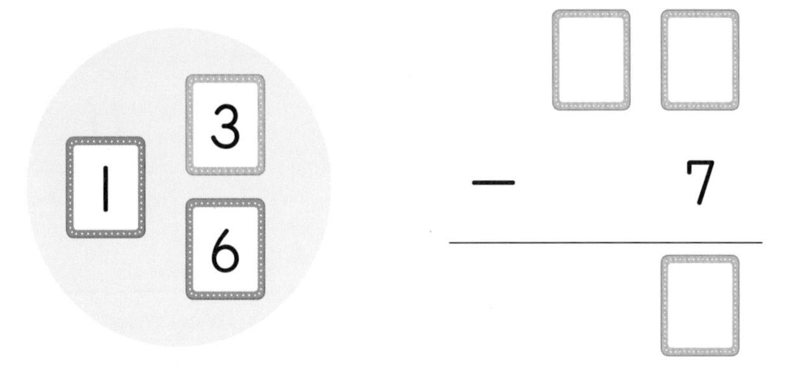

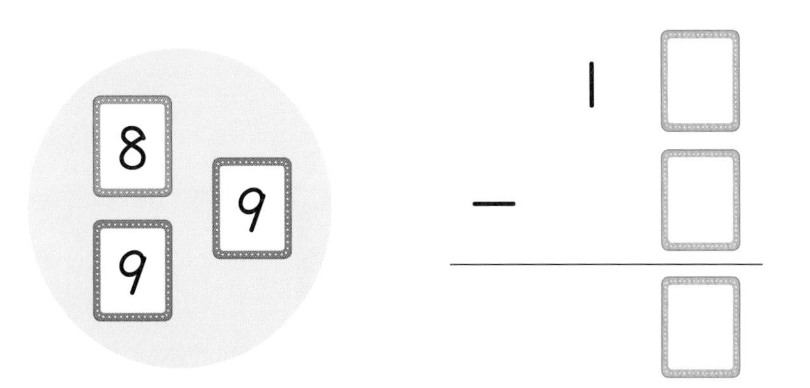

4
A03

올바른 식이 되도록 ▢ 카드와 바꾸어야 하는 카드 1장을 찾아 색칠하시오.

온라인 활동지

보기

1 8 − 3 = 1 → 11 − 3 = 8

1 5 − 2 = 7 → ______

1 6 − 8 = 4 → ______

1 4 − 3 = 9 → ______

1 5 − 6 = 1 → ______

1 7 − 8 = 5 ➡ ____________________

1 8 − 6 = 8 ➡ ____________________

1 5 − 3 = 8 ➡ ____________________

1 8 − 9 = 7 ➡ ____________________

2 1 − 6 = 6 ➡ ____________________

도형 셈

규칙을 찾아 색칠된 부분에 알맞은 수를 써넣으시오.

보기

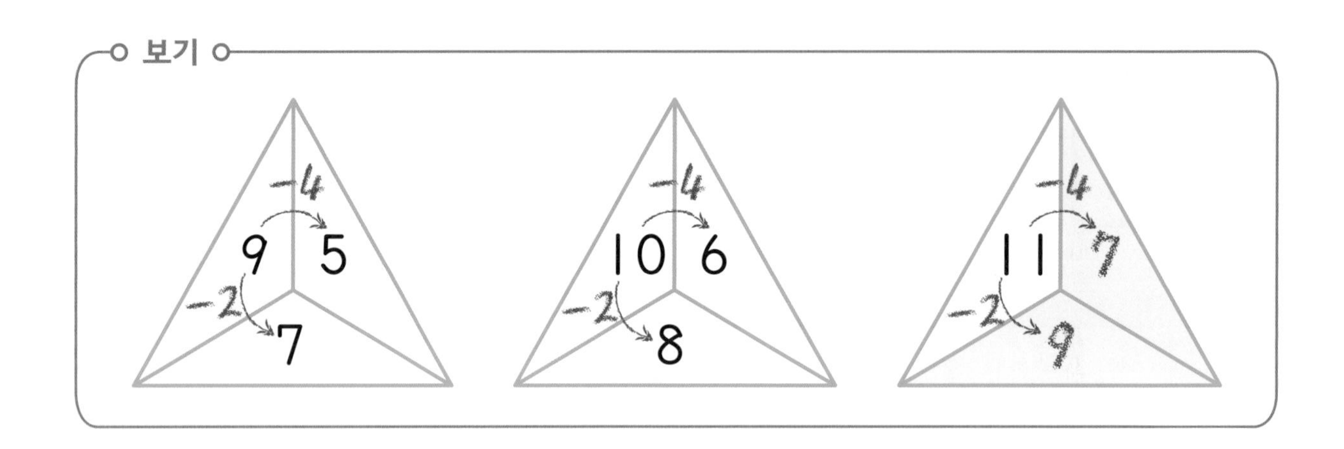

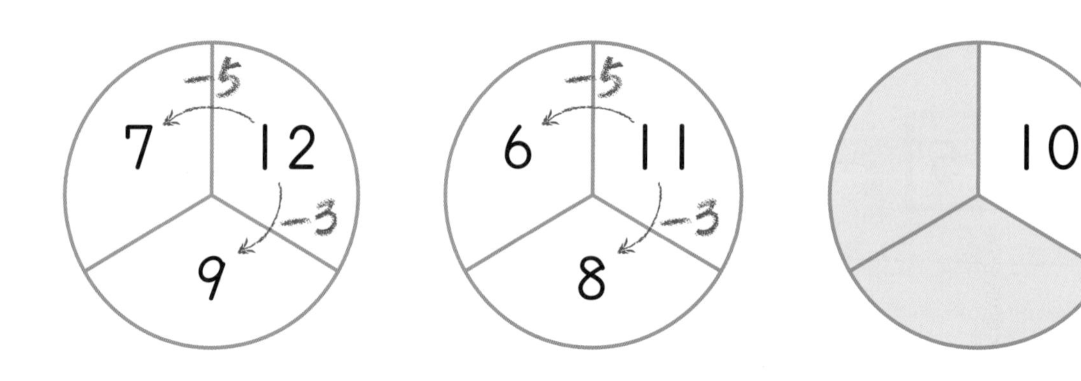

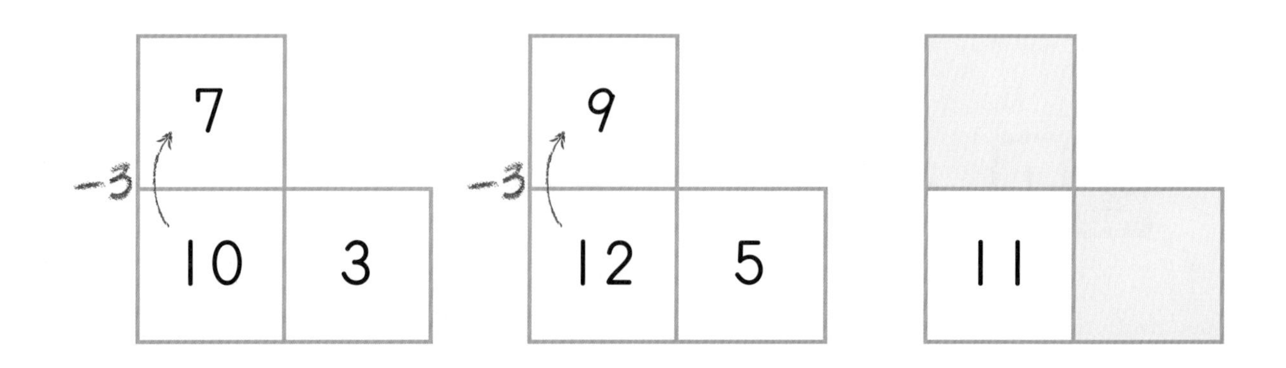

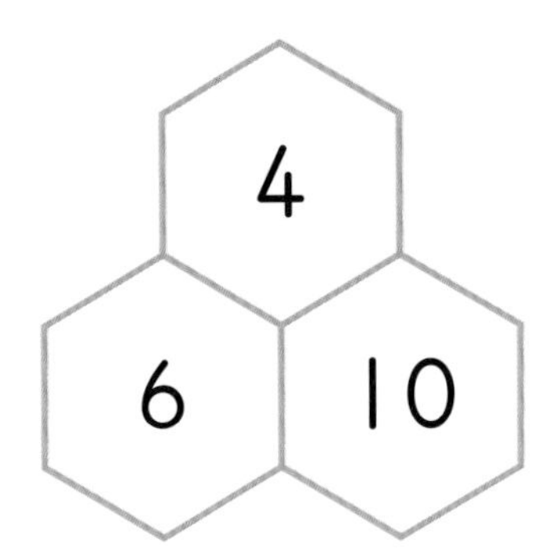

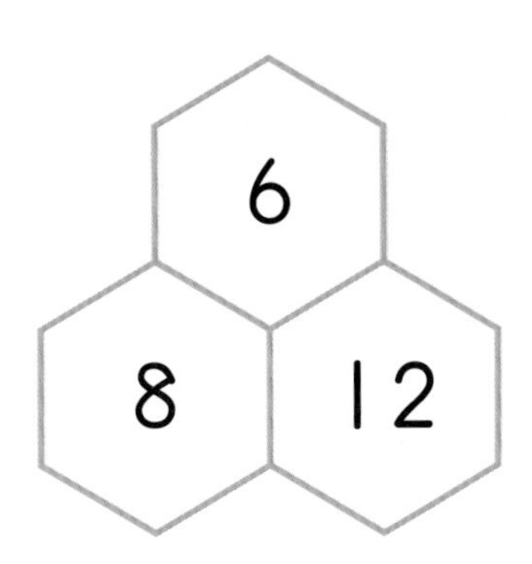

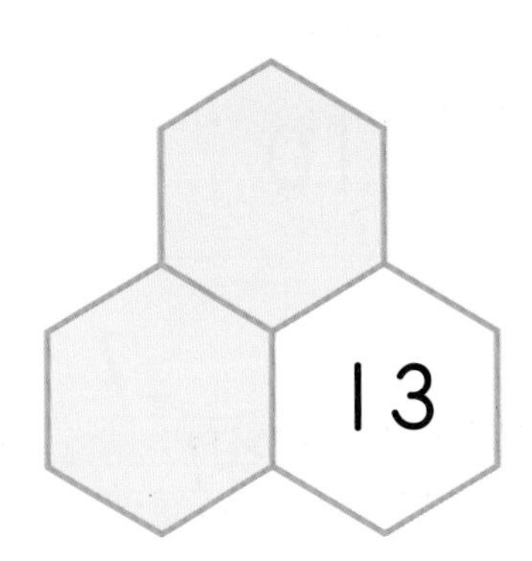

3
10 2

14 6

9
16

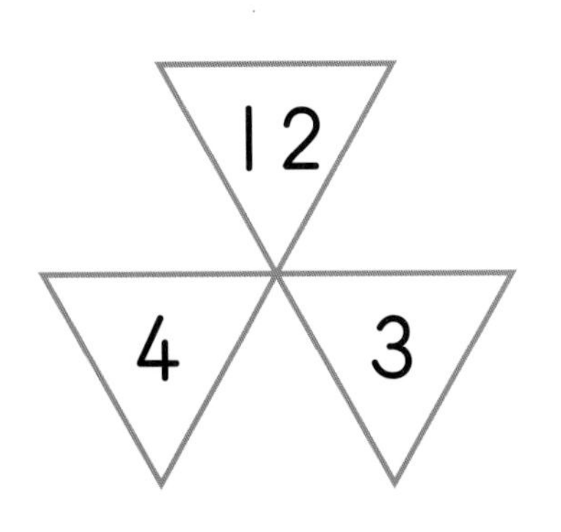

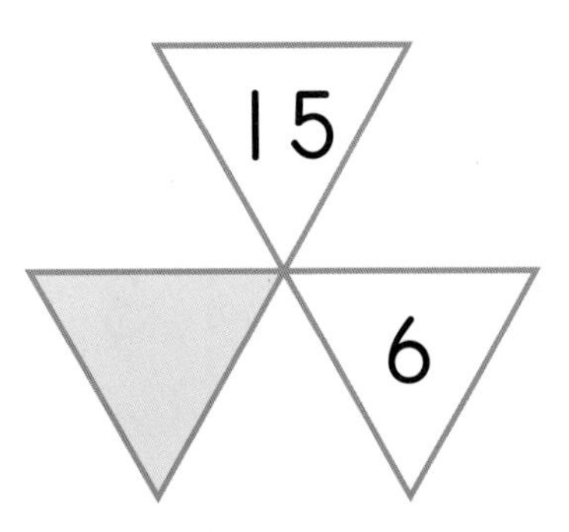

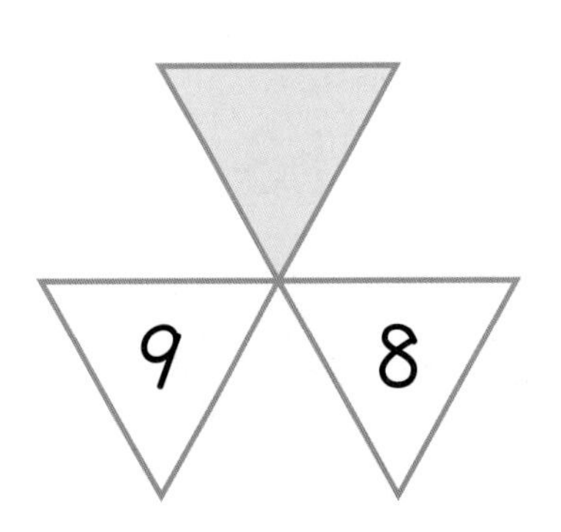

🌼 규칙을 찾아 색칠한 부분에 알맞은 수를 써넣으시오.

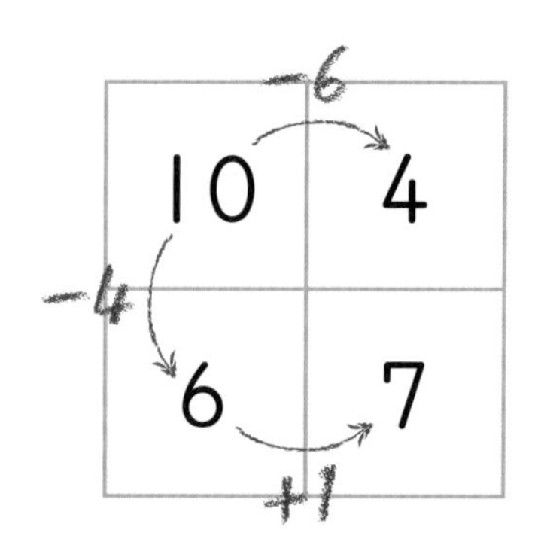

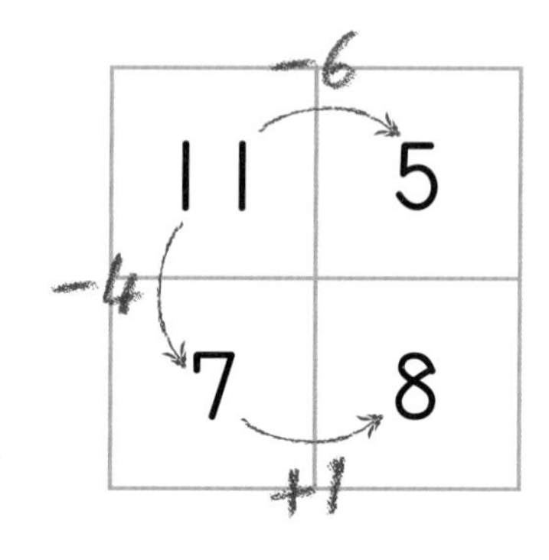

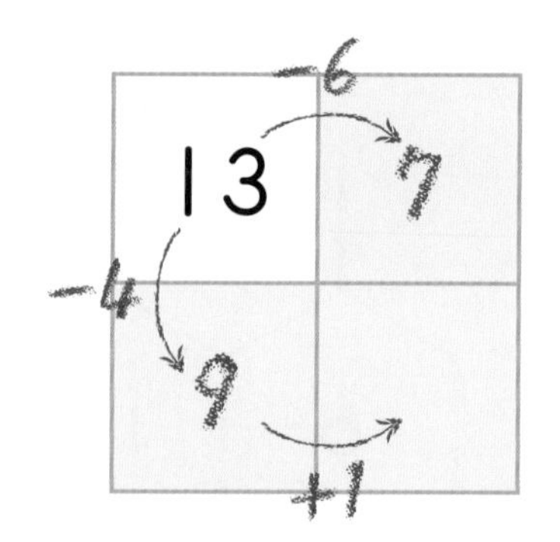

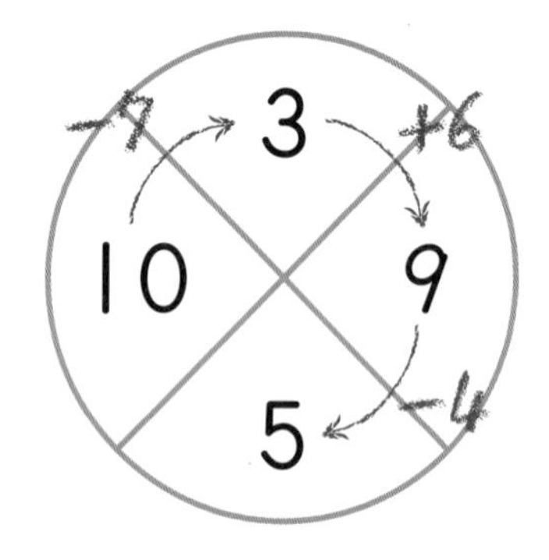

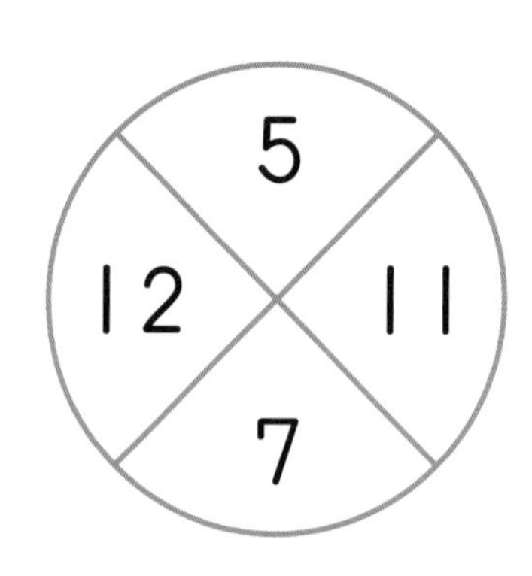

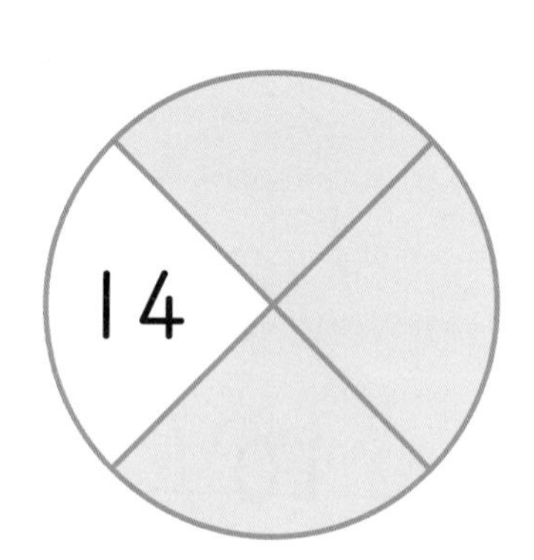

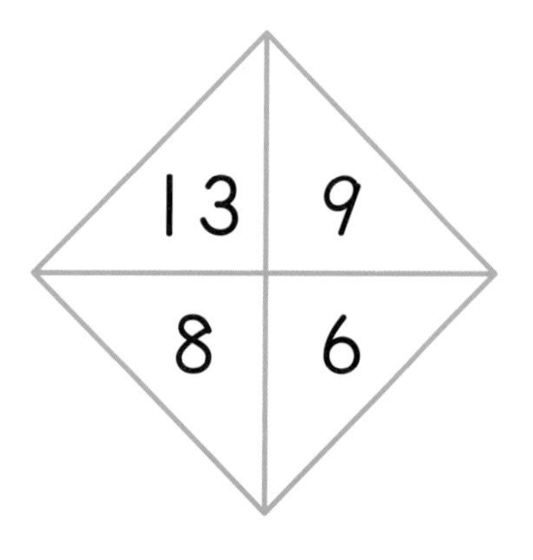

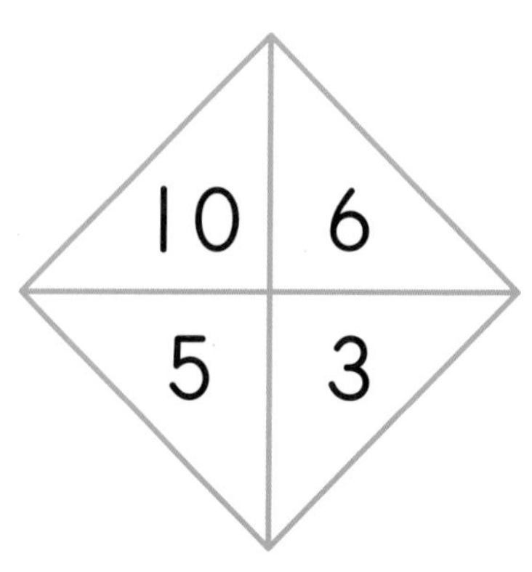

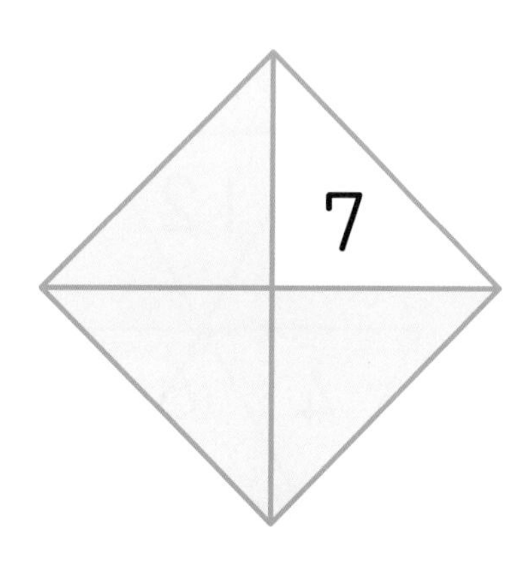

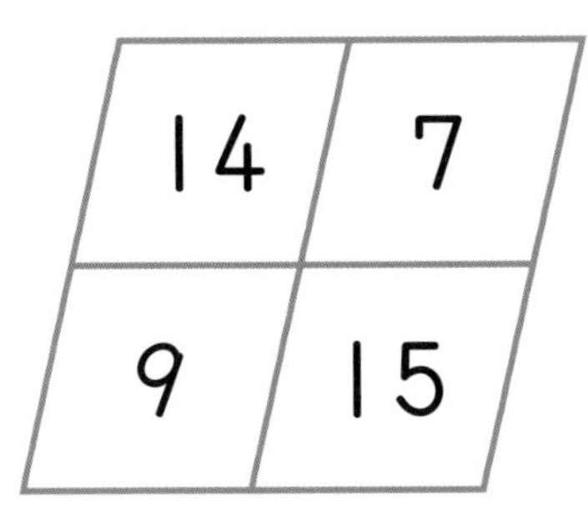
14
7
9
15

8
3
9

6
14

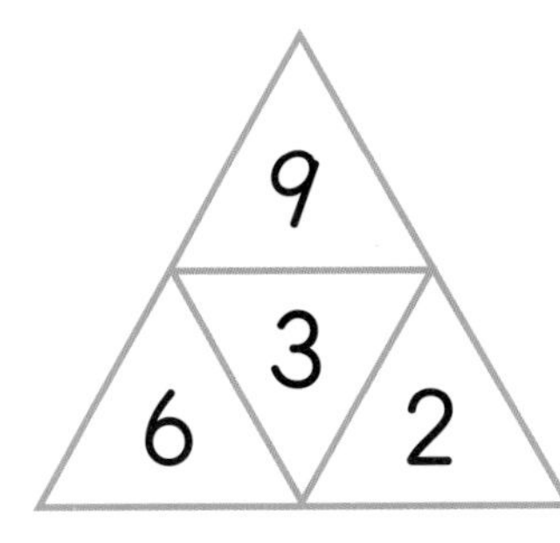
9
3
6
2

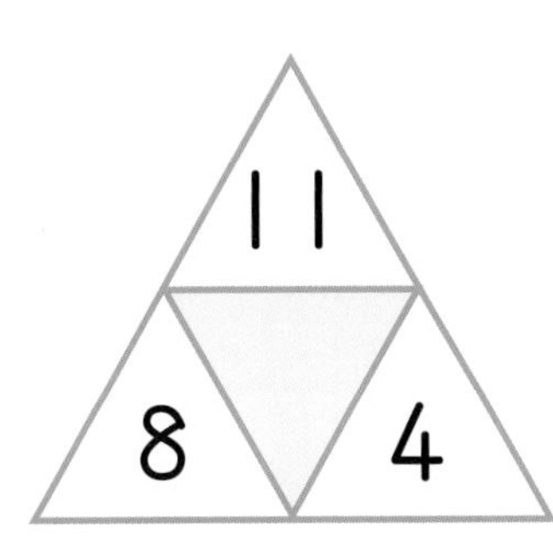
11
8
4

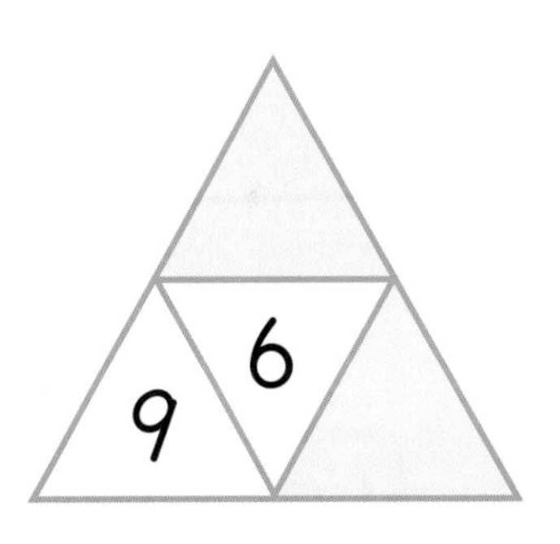
6
9

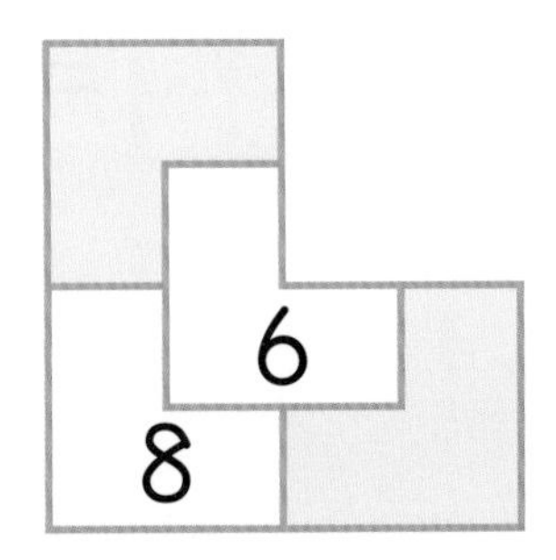
6
8

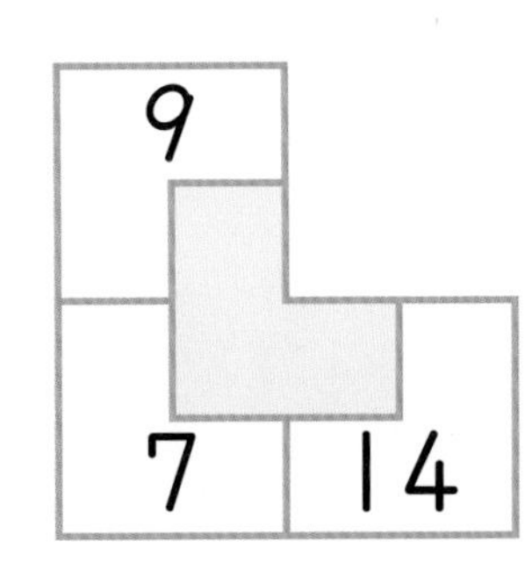
9
7
14

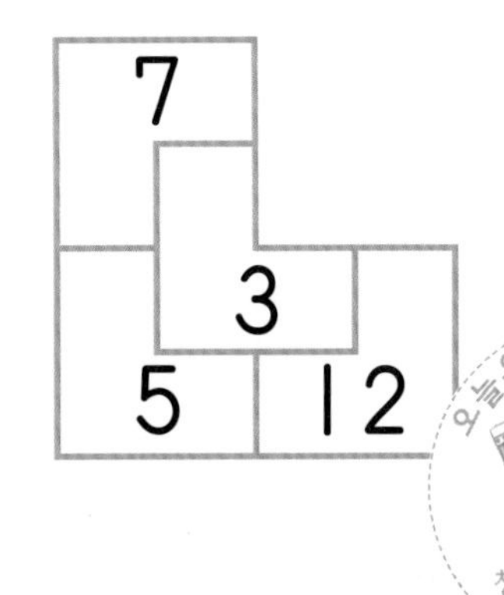
7
3
5
12
오늘은 얼마나 잘했을까요?
칭찬 붙임 딱지를
붙여 주세요!

목표수 만들기

주어진 수 카드를 모두 사용하여 주어진 수를 만들어 보시오.

13 5 10 7

10 − 5 = 5

□ − □ = 6

8 4 11 16

□ − 4 = 7

□ − □ = 8

7 16 11
15 8 6

□ − □ = 5

□ − □ = 7

□ − □ = 9

4 12 9
17 8 15

□ − □ = 6

□ − □ = 8

□ − □ = 9

주어진 계산기의 버튼을 알맞은 순서로 눌러 계산 결과가 나오도록 하시오.

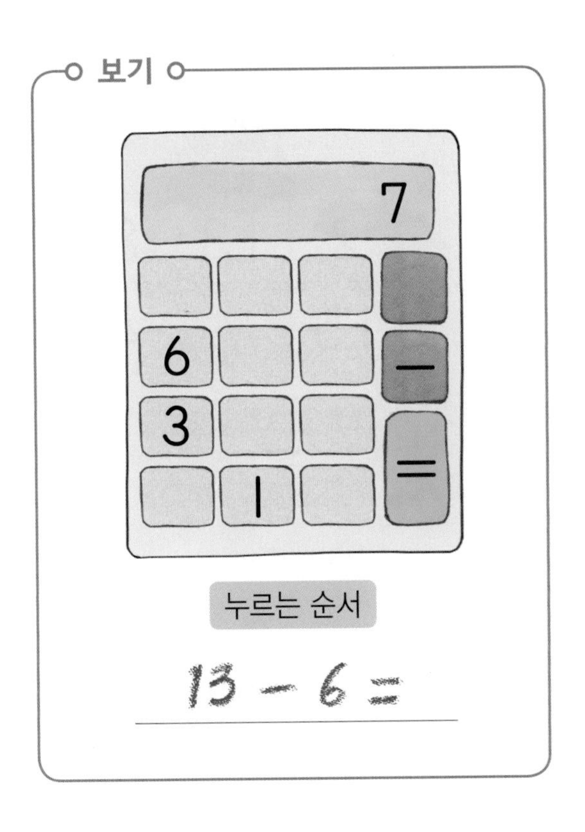

누르는 순서

누르는 순서

누르는 순서

두 수를 찾아 뺄셈식을 완성하시오.

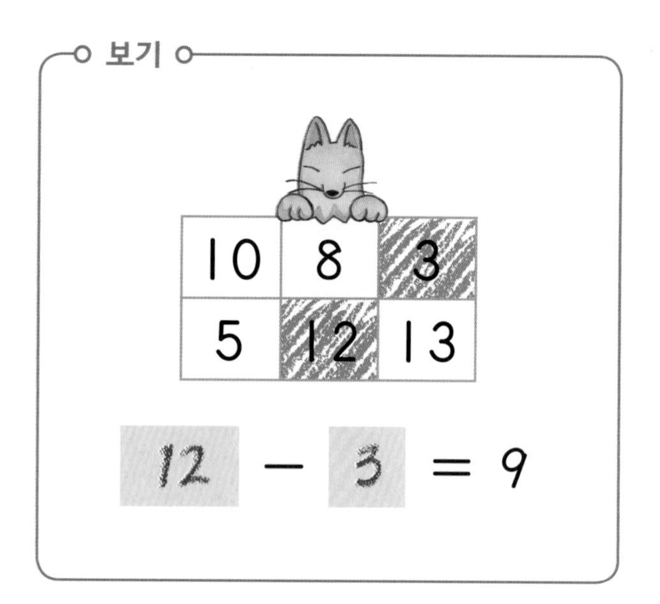

□ − 7 = 6

□ − 8 = 3

7	17	3
13	9	14

14 − □ = 7

14	7	15
6	11	8

□ − □ = 5

8	5	15
17	12	9

□ − □ = 8

10	2	9
1	16	11
13	4	12

13 − 9 = 4

□ − 4 = 6

14	1	17
13	10	2
16	3	9

□ − 9 = 5

□ − □ = 9

4	18	2
15	6	14
5	16	9

□ − □ = 6

□ − □ = 8

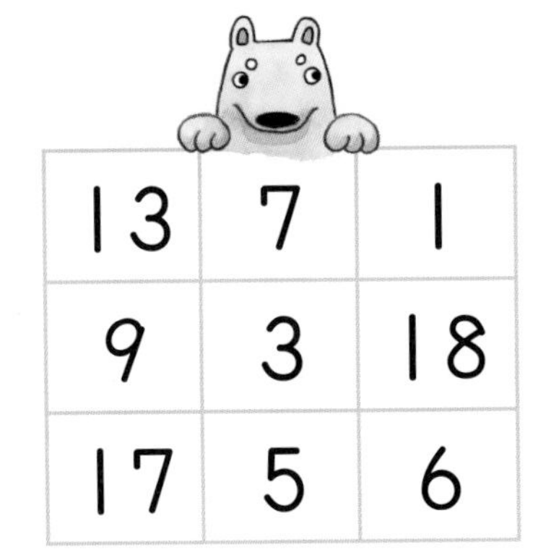

13	7	1
9	3	18
17	5	6

□ − □ = 7

□ − □ = 9

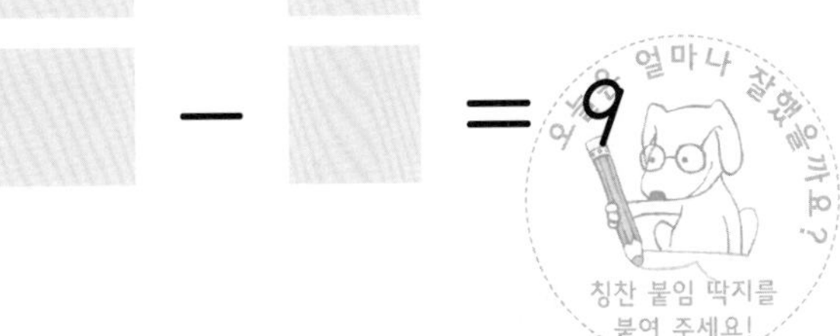

양팔 저울이 수평을 이루도록 ◯ 안에 + 또는 − 기호를 알맞게 쓰고 식을 써 보시오.

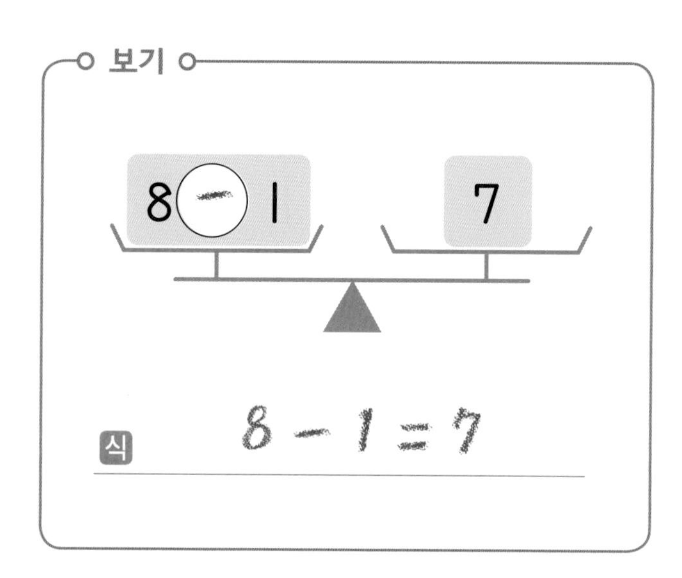

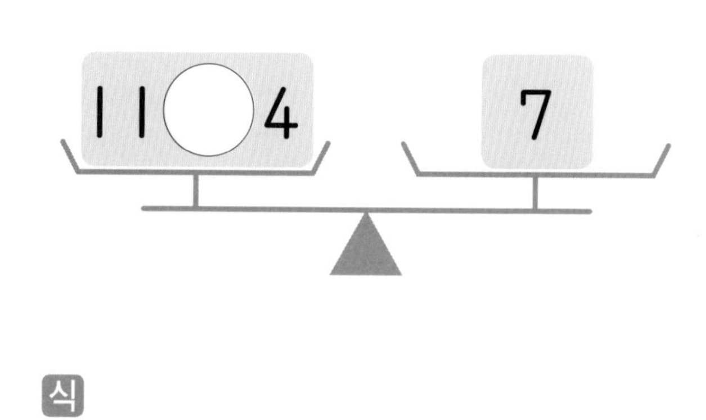

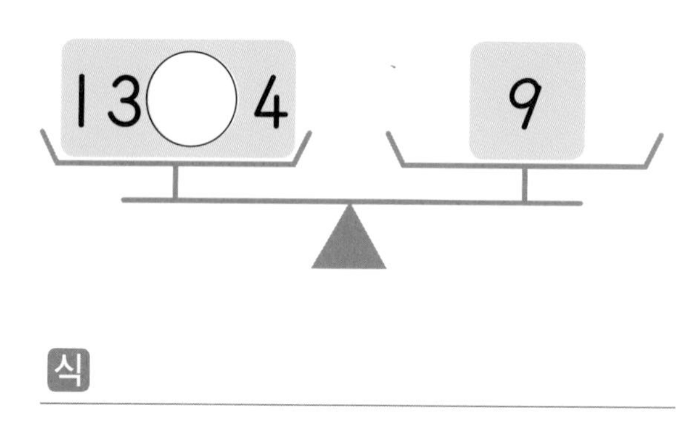

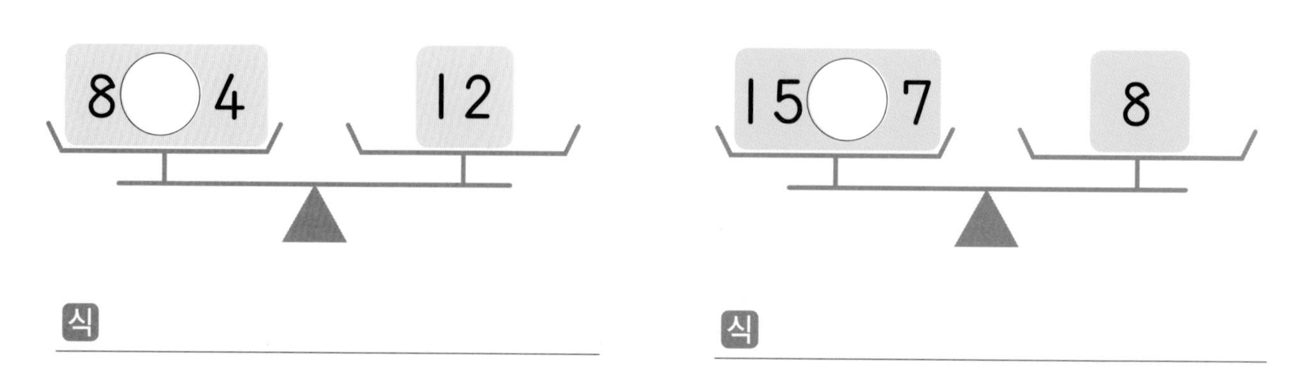

양팔 저울이 수평을 이루도록 ◯ 안에 + 또는 − 기호를 알맞게 쓰고 식을 써 보시오.

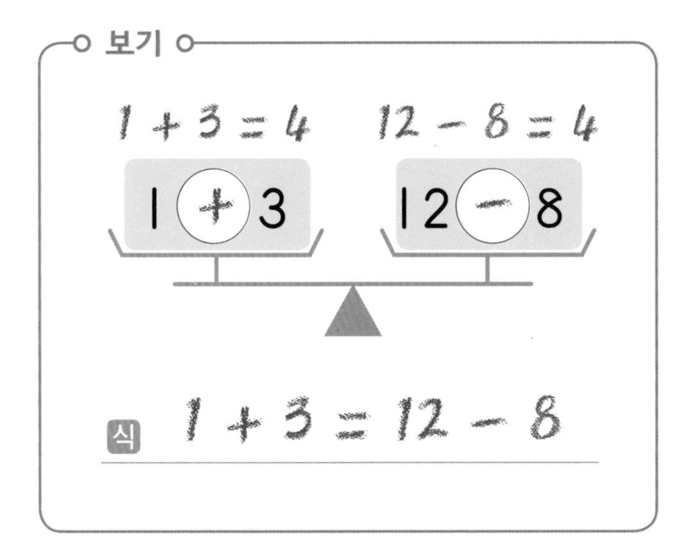

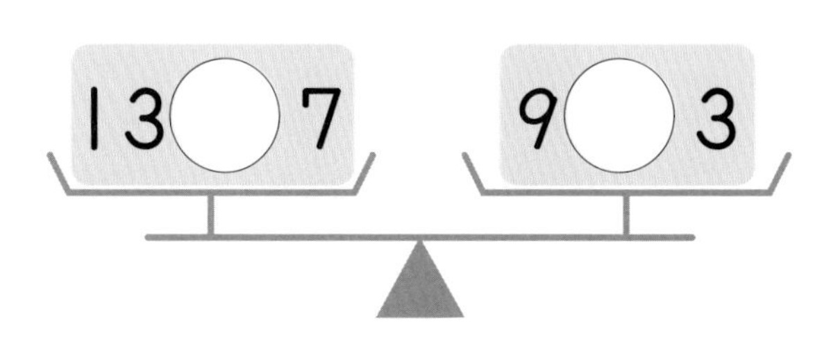

식

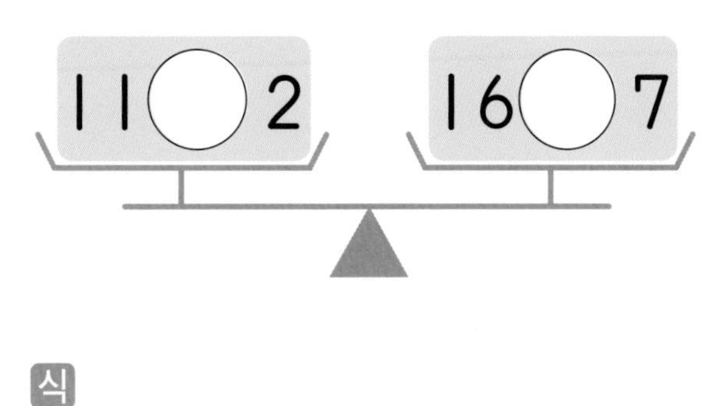

식

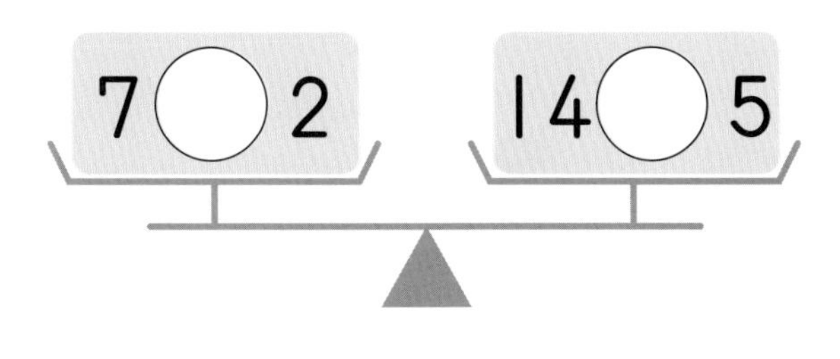

식

17 ◯ 8　　15 ◯ 6

식

올바른 식이 되도록 ○ 안에 + 또는 − 기호를 알맞게 써넣으시오.

보기

9 (−) 3 (+) 5 = 11

5 (+) 9 ○ 5 = 9

7 ○ 6 (−) 5 = 8

8 ○ 2 ○ 1 = 5

11 ○ 7 ○ 5 = 9

14 ○ 6 ○ 1 = 7

16 ○ 7 ○ 4 = 5

올바른 식이 되도록 ◯ 안에 +, −, = 기호를 알맞게 써넣으시오.

보기

10 (−) 4 (=) 3 (+) 3

5 (+) 6 ◯ 2 (=) 9

9 ◯ 1 (=) 17 ◯ 9

6 (=) 7 ◯ 8 ◯ 9

15 ◯ 7 ◯ 2 ◯ 6

18 ◯ 9 ◯ 16 ◯ 7

16 ◯ 9 ◯ 2 ◯ 9

memo

A03
정답

1주 1일차 10에서 빼기

4명의 아이들이 손가락을 모두 벌린 채 앞을 바라보고 있어요. 손가락으로 무엇을 하려고 하는 걸까요? 몇 명의 아이들은 하나, 둘, ……말을 하며 수를 세는 것 같아요. 손가락을 하나씩 접어 친구들이 구하려는 수를 알아보세요.

A02권에서 배운 10이 되도록 두 수를 모으기와 연결하여 여기서는 10 가르기를 이용한 10에서 빼기를 학습합니다. 10이 되기 위하여 보충하여 주는 수를 10의 '보수'라고 합니다. 10 가르기와 모으기는 10의 보수 관계 파악과 덧셈에서의 받아올림, 뺄셈에서의 받아내림을 위한 기초단계입니다. 충분한 시간을 주어 연습할 수 있도록 지도해 주세요.

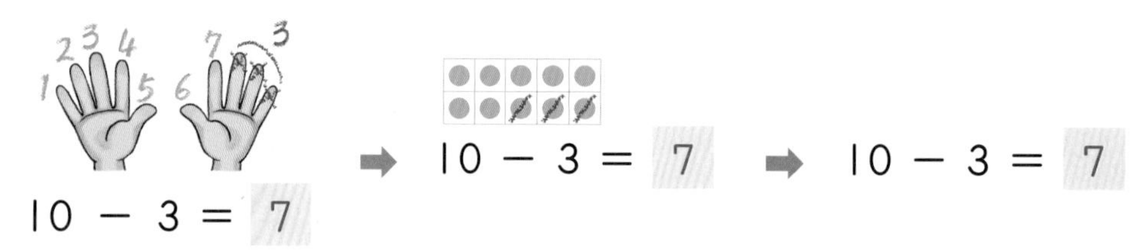

P 8 ~ 9

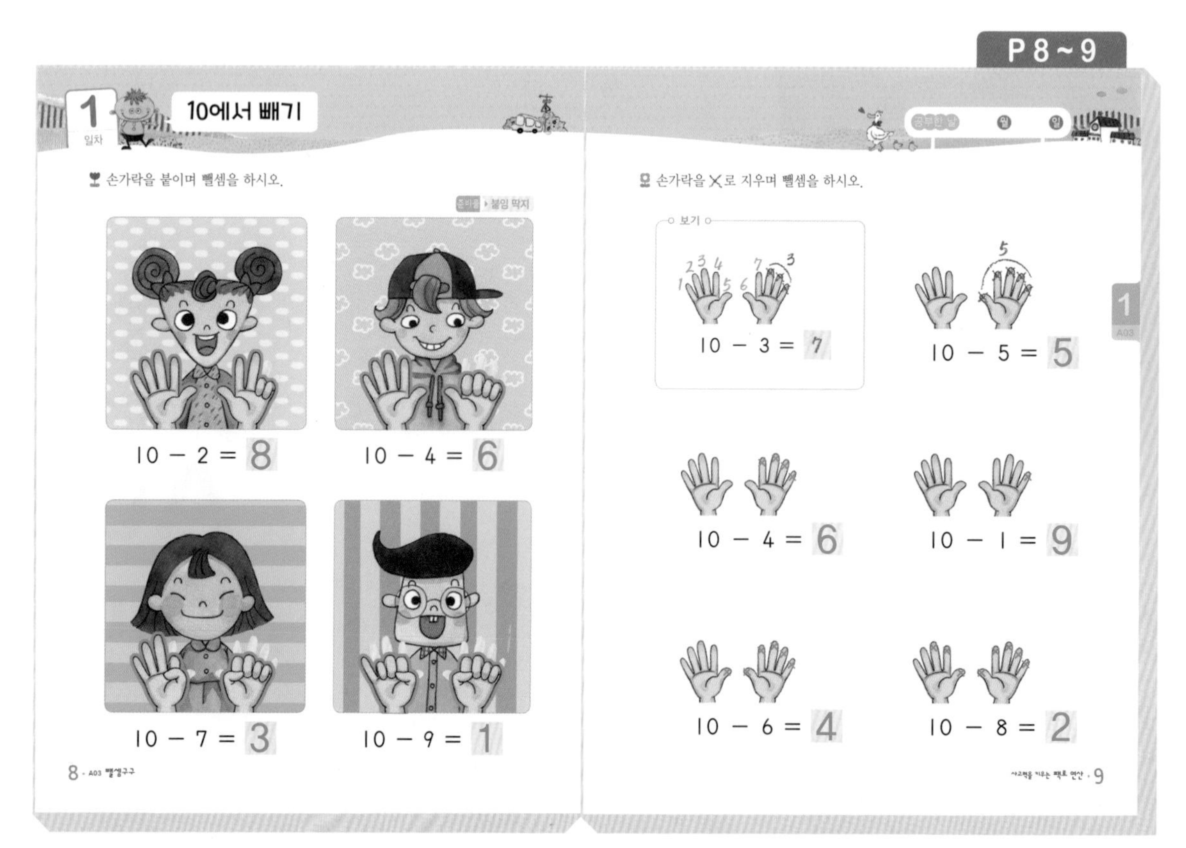

P 10 ~ 11

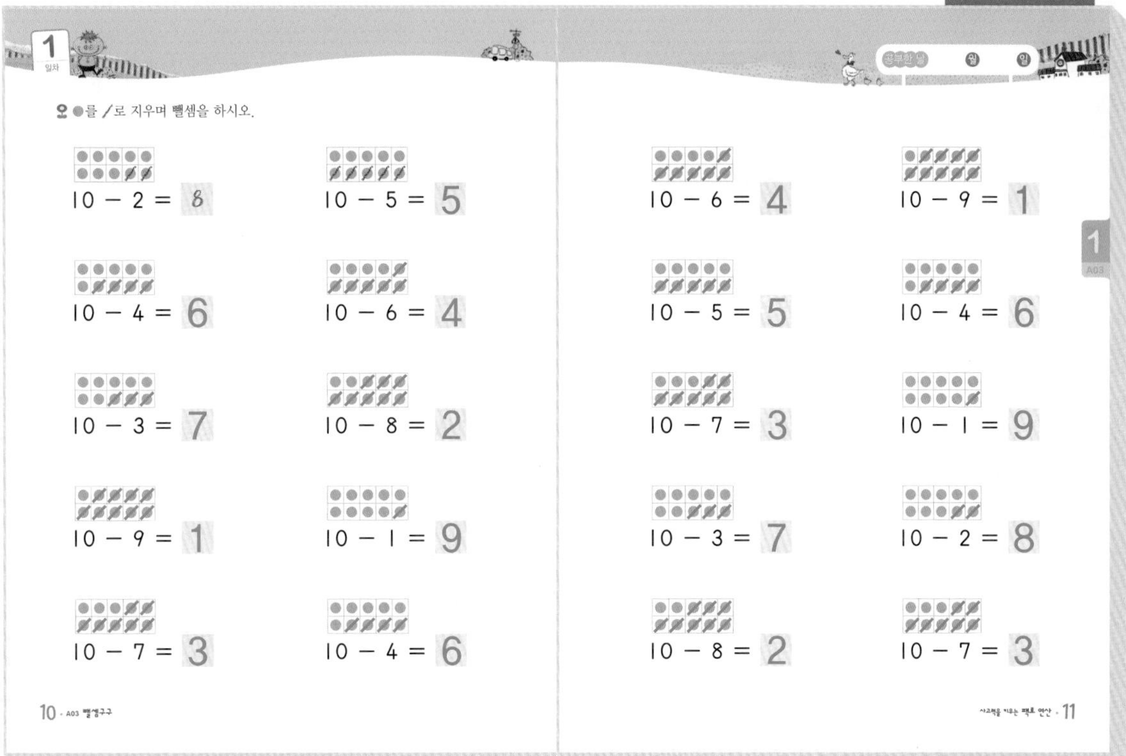

1 일차

●를 /로 지우며 뺄셈을 하시오.

10 − 2 = 8
10 − 5 = 5
10 − 4 = 6
10 − 6 = 4
10 − 3 = 7
10 − 8 = 2
10 − 9 = 1
10 − 1 = 9
10 − 7 = 3
10 − 4 = 6

10 − 6 = 4
10 − 9 = 1
10 − 5 = 5
10 − 4 = 6
10 − 7 = 3
10 − 1 = 9
10 − 3 = 7
10 − 2 = 8
10 − 8 = 2
10 − 7 = 3

10 · A03 뺄셈구구

사고력을 키우는 팩토 연산 · 11

P 12 ~ 13

1 일차

뺄셈을 하시오.

10 − 1 = 9
10 − 7 = 3
10 − 6 = 4
10 − 4 = 6
10 − 3 = 7
10 − 5 = 5
10 − 8 = 2
10 − 2 = 8
10 − 9 = 1
10 − 1 = 9
10 − 5 = 5
10 − 3 = 7

10 − 8 = 2
10 − 2 = 8
10 − 5 = 5
10 − 1 = 9
10 − 3 = 7
10 − 7 = 3
10 − 6 = 4
10 − 9 = 1
10 − 4 = 6
10 − 8 = 2
10 − 7 = 3
10 − 5 = 5

12 · A03 뺄셈구구

빼서 10 만들기

아이들이 뿅망치를 들고 두더지 잡기 게임을 하고 있네요. 불쑥불쑥! 쏙쏙! 두더지들은 머리를 내밀었다가 다시 집어넣었다 하며 마치 아이들을 약올리는 것 같아요. 아이들은 '나오기만 해 봐라……'하며 뿅망치를 들고 눈을 부릅뜨고 있어요. 두더지 10마리만 남도록 친구들을 도와 두더지를 잡아 보세요.

3, 4일차에서 배우는 (십 몇)−(몇)을 하기 위해 (십 몇)−(몇)=(십)을 학습합니다.
간단하지만 이후 학습 과정 중 반드시 필요한 내용입니다. 계란판 모형에서 각 자리 숫자의 위치를 이용한 십진법의 원리를 이용하여 능숙히 계산할 수 있도록 지도해 주세요.

3

13 − 3 = 10 ➡ 13 − 3 = 10 ➡ 13 − 3 = 10

10 3

P 14 ~ 15

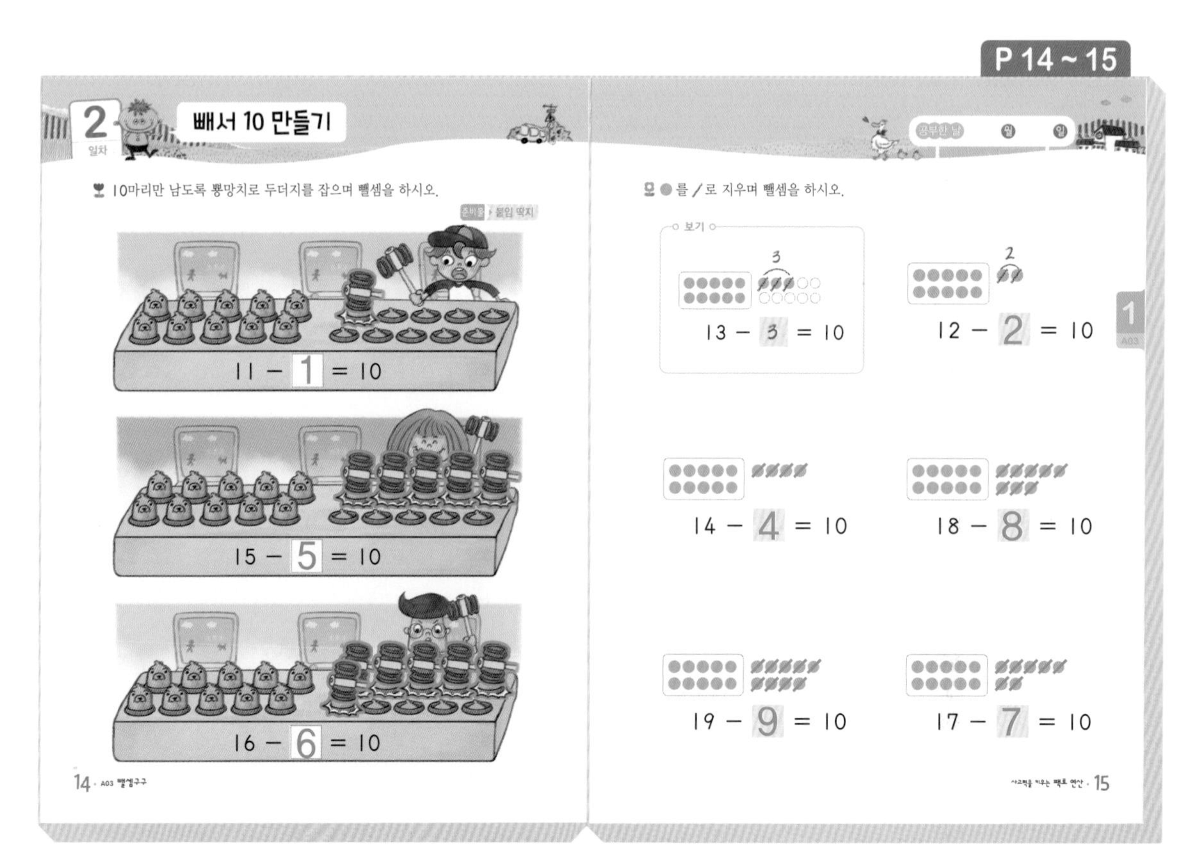

P 16 ~ 17

2 일차

앞의 수를 갈라 뺄셈을 하시오.

15 − 5 = 10 (10 5)

11 − 1 = 10 (10 1)

13 − 3 = 10 (10 3)

14 − 4 = 10 (10 4)

17 − 7 = 10 (10 7)

18 − 8 = 10 (10 8)

12 − 2 = 10 (10 2)

16 − 6 = 10 (10 6)

19 − 9 = 10 (10 9)

13 − 3 = 10 (10 3)

12 − 2 = 10 (10 2)

15 − 5 = 10 (10 5)

17 − 7 = 10 (10 7)

19 − 9 = 10 (10 9)

14 − 4 = 10 (10 4)

13 − 3 = 10 (10 3)

11 − 1 = 10 (10 1)

16 − 6 = 10 (10 6)

12 − 2 = 10 (10 2)

18 − 8 = 10 (10 8)

P 18 ~ 19

2 일차

□ 안에 알맞은 수를 써넣으시오.

14 − 4 = 10

17 − 7 = 10

16 − 6 = 10

12 − 2 = 10

19 − 9 = 10

14 − 4 = 10

18 − 8 = 10

11 − 1 = 10

15 − 5 = 10

16 − 6 = 10

13 − 3 = 10

19 − 9 = 10

12 − 2 = 10

18 − 8 = 10

15 − 5 = 10

11 − 1 = 10

17 − 7 = 10

16 − 6 = 10

18 − 8 = 10

15 − 5 = 10

14 − 4 = 10

19 − 9 = 10

13 − 3 = 10

17 − 7 = 10

아이들이 기차 놀이를 하고 있어요. 색깔이 다른 칸이 보기 싫었는지 끝에 있는 주황색 칸을 한 번에 떼어 열 칸짜리 초록색 기차를 만들었네요. 그런데 무슨 심보인지 기차 몇 칸을 더 떼고서는 떨어진 기차에 손을 흔들어 인사를 하네요. 아이들이 떼고 남은 기차는 모두 몇 칸일까요?

받아내림이 있는 뺄셈 (십 몇)−(몇)에서 뒤의 수를 갈라 계산하는 과정을 학습합니다.
먼저 뒤의 수를 갈라 (십 몇)−(몇)을 하여 10이 되도록 한 후, 가르기 한 나머지 수를 10에서 빼서 계산합니다. A02권에서 덧셈구구를 완성하는 것이 목표였다면 여기서는 3, 4, 5일차에 본격적으로 나오는 뺄셈구구를 완성하는 것이 최종 목표입니다.

13 − 3 → 10 − 2 ➡ 13 − 5 = 8 (13 − 3 − 2) ➡ 13 − 5 = 8

P 20 ~ 21

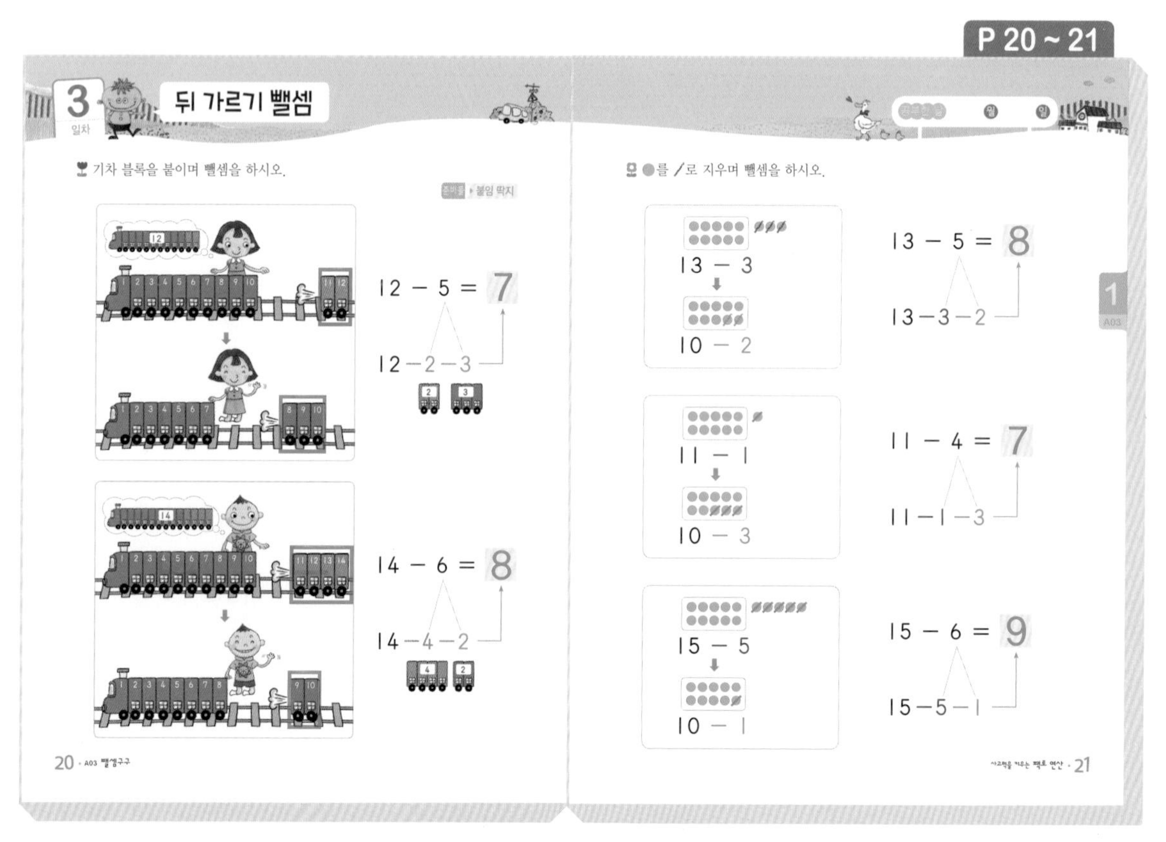

P 22 ~ 23

3 일차

뒤의 수를 갈라 뺄셈을 하시오.

11 − 3 = 8
11−1−2

12 − 5 = 7
12−2−3

13 − 8 = 5
13−3−5

15 − 9 = 6
15−5−4

14 − 6 = 8
14−4−2

11 − 4 = 7
11−1−3

12 − 7 = 5
12−2−5

16 − 7 = 9
16−6−1

14 − 8 = 6
14−4−4

13 − 4 = 9
13−3−1

13 − 5 = 8
−3 −2

11 − 8 = 3
−1 −7

12 − 6 = 6
−2 −4

14 − 9 = 5
−4 −5

14 − 7 = 7
−4 −3

15 − 6 = 9
−5 −1

11 − 9 = 2
−1 −8

12 − 8 = 4
−2 −6

13 − 7 = 6
−3 −4

16 − 9 = 7
−6 −3

22 · A03 뺄셈구구

사고력을 키우는 팩토 연산 · 23

P 24 ~ 25

3 일차

뺄셈을 하시오.

11 − 2 = 9

13 − 7 = 6

12 − 9 = 3

17 − 9 = 8

11 − 6 = 5

12 − 3 = 9

15 − 8 = 7

13 − 9 = 4

12 − 4 = 8

14 − 8 = 6

17 − 8 = 9

15 − 7 = 8

14 − 9 = 5

11 − 7 = 4

13 − 6 = 7

15 − 9 = 6

12 − 8 = 4

14 − 5 = 9

16 − 8 = 8

13 − 8 = 5

11 − 9 = 2

12 − 5 = 7

14 − 6 = 8

11 − 3 = 8

24 · A03 뺄셈구구

세 명의 아이들도 기차 놀이를 따라 하고 있어요. 기차가 길어서일까요? 아이들이 뒤에 붙은 초록색 칸을 떼어 버리네요. 이제는 기차가 짧아져 가지고 놀기 좋겠죠? 아이들이 떼고 남은 기차는 모두 몇 칸일까요?

받아내림이 있는 뺄셈 (십 몇)-(몇)에서 앞의 수를 갈라 계산하는 과정을 학습합니다.
먼저 앞의 수를 갈라 10에서 뒤의 수를 뺀 후, 가르고 남은 수와 더하는 계산을 합니다.
빼셈구구는 받아내림이 있는 뺄셈의 기초가 되므로 답이 빠르게 나올 수 있도록 충분히 연습해 주세요.

$12 - 3 = 9$ (2 + 10 − 3 → 2+7, 7) ➡ $12 - 3 = 9$ (2 + 10 − 3, 7) ➡ $12 - 3 = 9$

P 26 ~ 27

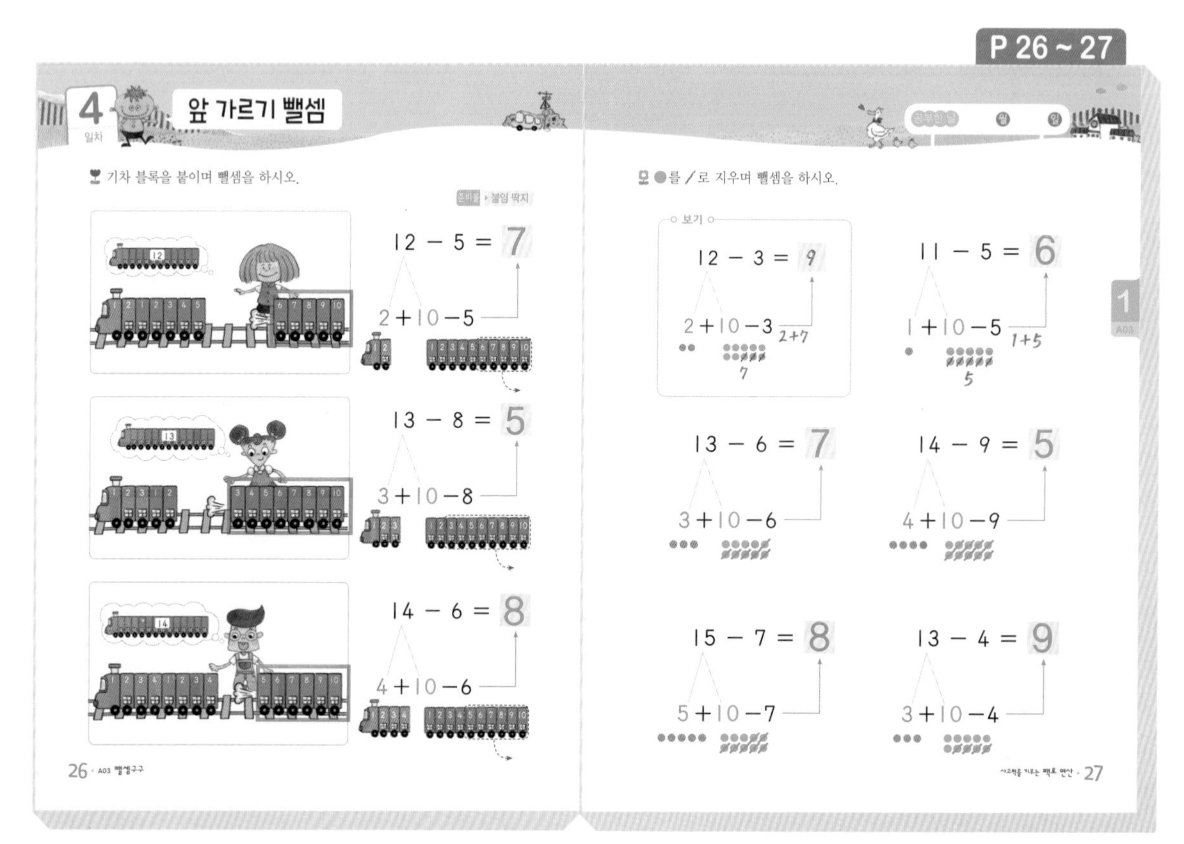

P 28 ~ 29

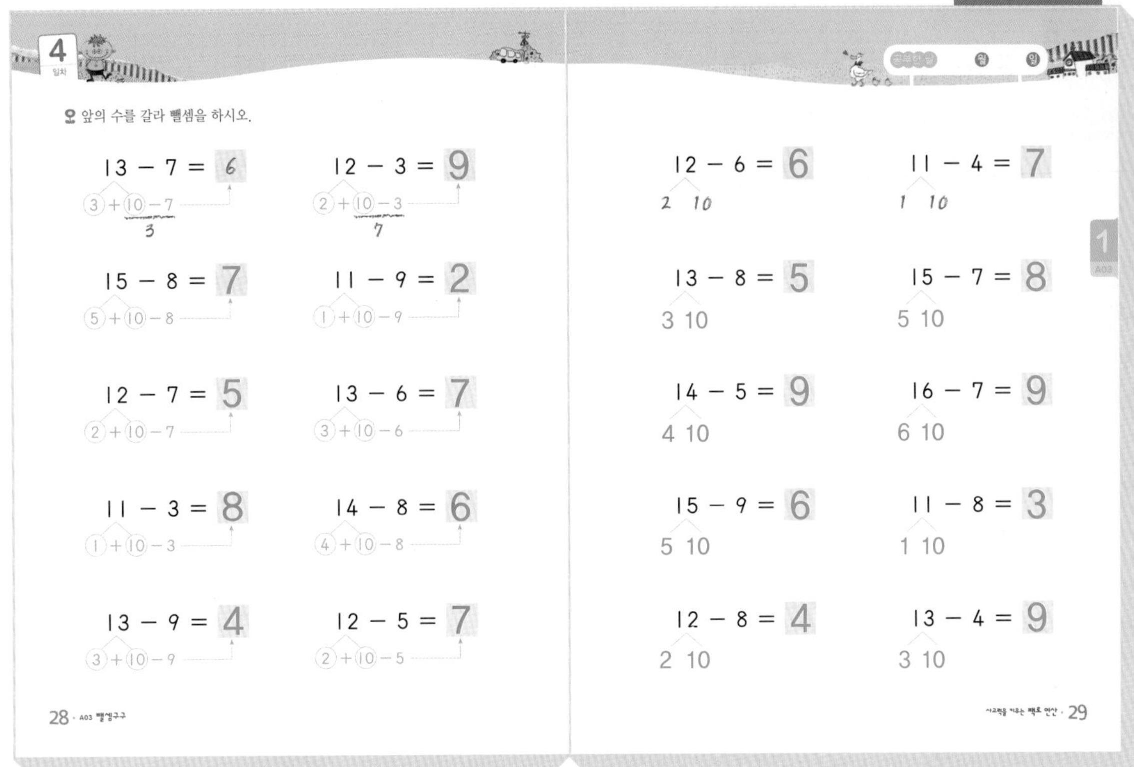
4 일차

앞의 수를 갈라 뺄셈을 하시오.

13 − 7 = 6 (3 + 10 − 7, 3)

12 − 3 = 9 (2 + 10 − 3, 7)

15 − 8 = 7 (5 + 10 − 8)

11 − 9 = 2 (1 + 10 − 9)

12 − 7 = 5 (2 + 10 − 7)

13 − 6 = 7 (3 + 10 − 6)

11 − 3 = 8 (1 + 10 − 3)

14 − 8 = 6 (4 + 10 − 8)

13 − 9 = 4 (3 + 10 − 9)

12 − 5 = 7 (2 + 10 − 5)

28 · A03 뺄셈구구

12 − 6 = 6 (2 10)

11 − 4 = 7 (1 10)

13 − 8 = 5 (3 10)

15 − 7 = 8 (5 10)

14 − 5 = 9 (4 10)

16 − 7 = 9 (6 10)

15 − 9 = 6 (5 10)

11 − 8 = 3 (1 10)

12 − 8 = 4 (2 10)

13 − 4 = 9 (3 10)

사고력을 키우는 팩토 연산 · 29

P 30 ~ 31

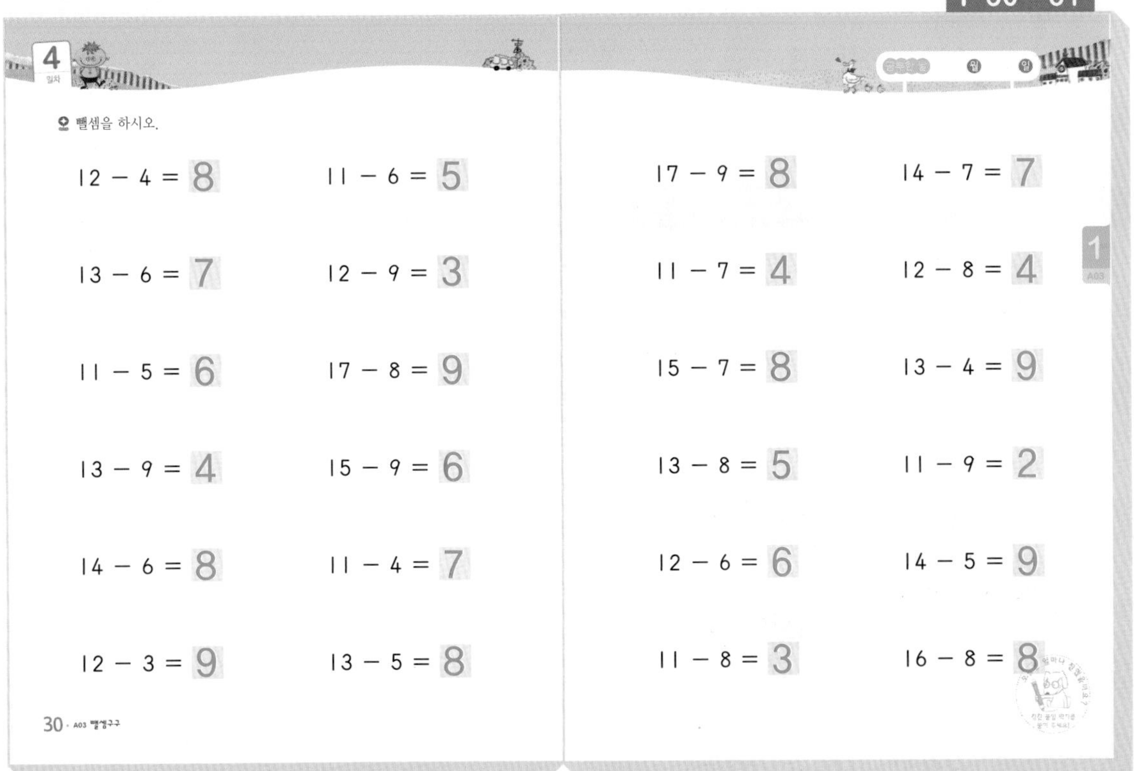
4 일차

뺄셈을 하시오.

12 − 4 = 8

11 − 6 = 5

13 − 6 = 7

12 − 9 = 3

11 − 5 = 6

17 − 8 = 9

13 − 9 = 4

15 − 9 = 6

14 − 6 = 8

11 − 4 = 7

12 − 3 = 9

13 − 5 = 8

30 · A03 뺄셈구구

17 − 9 = 8

14 − 7 = 7

11 − 7 = 4

12 − 8 = 4

15 − 7 = 8

13 − 4 = 9

13 − 8 = 5

11 − 9 = 2

12 − 6 = 6

14 − 5 = 9

11 − 8 = 3

16 − 8 = 8

덧셈을 이용한 뺄셈

두 아이도 기차 놀이를 하고 있어요. 처음에는 초록색 기차를 만들고 싶었는지 빨간색 칸을 모두 떼어냈어요. 그런데 이번에는 무슨 변덕인지 기차를 다시 붙여 초록색 칸만 모두 떼어 내네요. 아이들이 떼고 남은 기차는 모두 몇 칸일까요?

앞 가르기 또는 뒤 가르기를 이용한 뺄셈 방법에 이어 덧셈식과 뺄셈식의 관계를 이용한 뺄셈을 학습합니다.

역연산 관계인 덧셈과 뺄셈을 함께 학습하면 두 개념을 더욱 자연스럽게 인식하게 되어 연산 감각이 크게 향상됩니다.

$8 + 3 = 11$

$11 - 8 = 3$

$11 - 3 = 8$

$3 + 8 = 11$ ➡ $11 - 3 = 8$

P 32 ~ 33

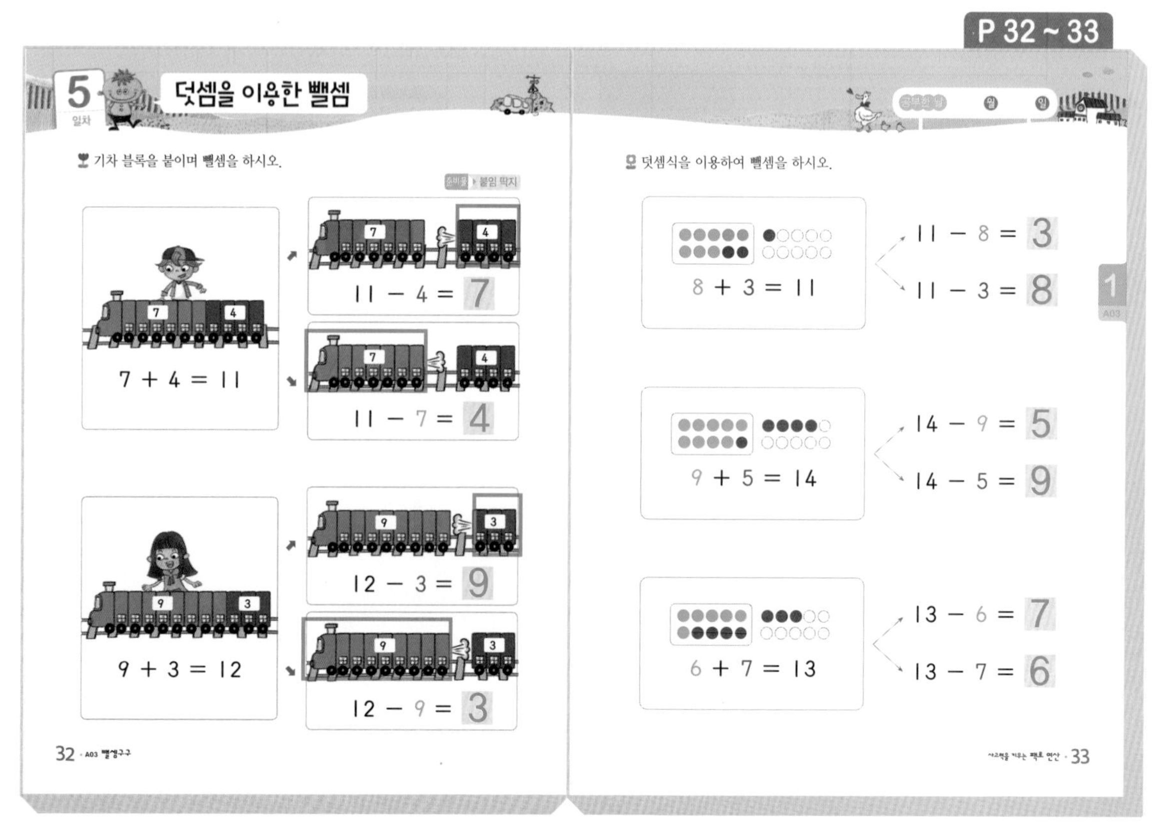
5 일차 덧셈을 이용한 뺄셈

기차 블록을 붙이며 뺄셈을 하시오.

붙임 딱지

$7 + 4 = 11$

$11 - 4 = 7$

$11 - 7 = 4$

$9 + 3 = 12$

$12 - 3 = 9$

$12 - 9 = 3$

32 · A03 뺄셈구구

덧셈식을 이용하여 뺄셈을 하시오.

$8 + 3 = 11$

$11 - 8 = 3$

$11 - 3 = 8$

$9 + 5 = 14$

$14 - 9 = 5$

$14 - 5 = 9$

$6 + 7 = 13$

$13 - 6 = 7$

$13 - 7 = 6$

사고력을 키우는 팩토 연산 · 33

P 34 ~ 35

5 일차

덧셈식을 이용하여 뺄셈을 하시오.

6 + 8 = 14
14 − 6 = 8

7 + 4 = 11
11 − 7 = 4

5 + 8 = 13
13 − 5 = 8

9 + 5 = 14
14 − 9 = 5

8 + 7 = 15
15 − 8 = 7

4 + 8 = 12
12 − 4 = 8

9 + 2 = 11
11 − 9 = 2

9 + 4 = 13
13 − 9 = 4

6 + 7 = 13
13 − 6 = 7

8 + 6 = 14
14 − 8 = 6

34 · A03 뺄셈구구

8 + 5 = 13
13 − 8 = 5

9 + 6 = 15
15 − 9 = 6

3 + 8 = 11
11 − 3 = 8

5 + 7 = 12
12 − 5 = 7

7 + 9 = 16
16 − 7 = 9

6 + 5 = 11
11 − 6 = 5

9 + 3 = 12
12 − 9 = 3

7 + 6 = 13
13 − 7 = 6

7 + 7 = 14
14 − 7 = 7

8 + 9 = 17
17 − 8 = 9

사고력을 키우는 팩토 연산 · 35

P 36 ~ 37

5 일차

뺄셈을 하시오.

14 − 8 = 6
12 − 8 = 4
15 − 7 = 8
13 − 4 = 9
11 − 6 = 5
11 − 2 = 9
17 − 9 = 8
12 − 6 = 6
14 − 7 = 7
16 − 9 = 7
13 − 5 = 8
14 − 6 = 8

36 · A03 뺄셈구구

11 − 5 = 6
15 − 8 = 7
12 − 9 = 3
11 − 9 = 2
17 − 8 = 9
14 − 5 = 9
13 − 6 = 7
18 − 9 = 9
16 − 8 = 8
11 − 7 = 4
12 − 7 = 5
15 − 6 = 9

P 38 ~ 39

2~6주 사고력 연산을 학습하기 전에 기본 연산 실력을 점검해 보세요.

1. 12 − 3 = 9
2. 10 − 5 = 5
3. 16 − 9 = 7
4. 13 − 7 = 6
5. 17 − 8 = 9
6. 11 − 6 = 5
7. 15 − 9 = 6
8. 14 − 7 = 7
9. 12 − 8 = 4
10. 11 − 2 = 9
11. 17 − 9 = 8
12. 16 − 7 = 9

38 · A03 빨셈구구

연산 실력 체크

13. 14 − 5 = 9
14. 11 − 9 = 2
15. 18 − 9 = 9
16. 14 − 6 = 8
17. 13 − 8 = 5
18. 11 − 5 = 6
19. 13 − 6 = 7
20. 12 − 6 = 6
21. 11 − 3 = 8
22. 10 − 9 = 1
23. 12 − 5 = 7
24. 14 − 9 = 5

사고력을 키우는 빼르 연산 · 39

P 40 ~ 41

빨셈구구

25. 16 − 8 = 8
26. 11 − 4 = 7
27. 11 − 8 = 3
28. 10 − 6 = 4
29. 12 − 9 = 3
30. 11 − 3 = 8
31. 15 − 7 = 8
32. 12 − 7 = 5
33. 13 − 4 = 9
34. 14 − 8 = 6
35. 13 − 5 = 8
36. 15 − 8 = 7

40 · A03 빨셈구구

연산 실력 체크

37. 13 − 9 = 4
38. 12 − 4 = 8
39. 11 − 7 = 4
40. 15 − 6 = 9

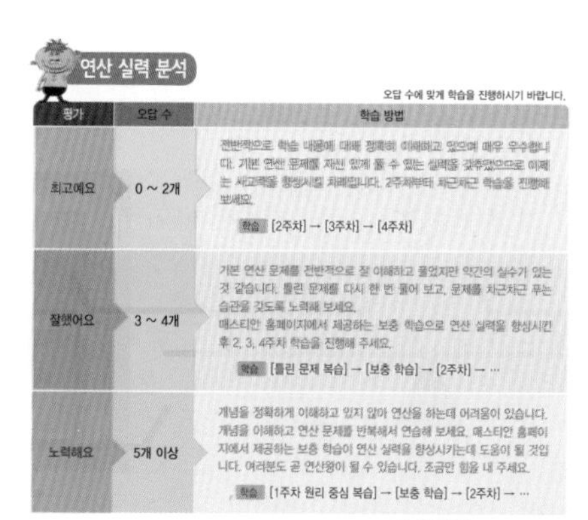

연산 실력 분석

오답 수에 맞게 학습을 진행하시기 바랍니다.

평가	오답 수	학습 방법
최고예요	0 ~ 2개	전반적으로 학습 내용에 대해 정확히 이해하고 있으며 매우 우수합니다. 기본 연산 문제를 자신 있게 풀 수 있는 실력을 갖추었으므로 이제는 사고력을 향상시킬 차례입니다. 2주차부터 차근차근 학습을 진행해 보세요. 학습 [2주차] → [3주차] → [4주차]
잘했어요	3 ~ 4개	기본 연산 문제를 전반적으로 잘 이해하고 풀었지만 약간의 실수가 있는 것 같습니다. 틀린 문제를 다시 한 번 풀어 보고, 문제를 차근차근 푸는 습관을 갖도록 노력해 보세요. 매스티안 홈페이지에서 제공하는 보충 학습으로 연산 실력을 향상시킨 후 2, 3, 4주차 학습을 진행해 주세요. 학습 [틀린 문제 복습] → [보충 학습] → [2주차] → …
노력해요	5개 이상	개념을 정확하게 이해하고 있지 않아 연산을 하는데 어려움이 있습니다. 개념을 이해하고 연산 문제를 반복해서 연습해 보세요. 매스티안 홈페이지에서 제공하는 보충 학습이 연산 실력을 향상시키는데 도움이 될 것입니다. 여러분도 곧 연산왕이 될 수 있습니다. 조금만 힘을 내 주세요. 학습 [1주차 원리 중심 복습] → [보충 학습] → [2주차] → …

매스티안 홈페이지 : www.mathtian.com

사고력을 키우는 빼르 연산 · 41

A03 정답

P 44 ~ 45

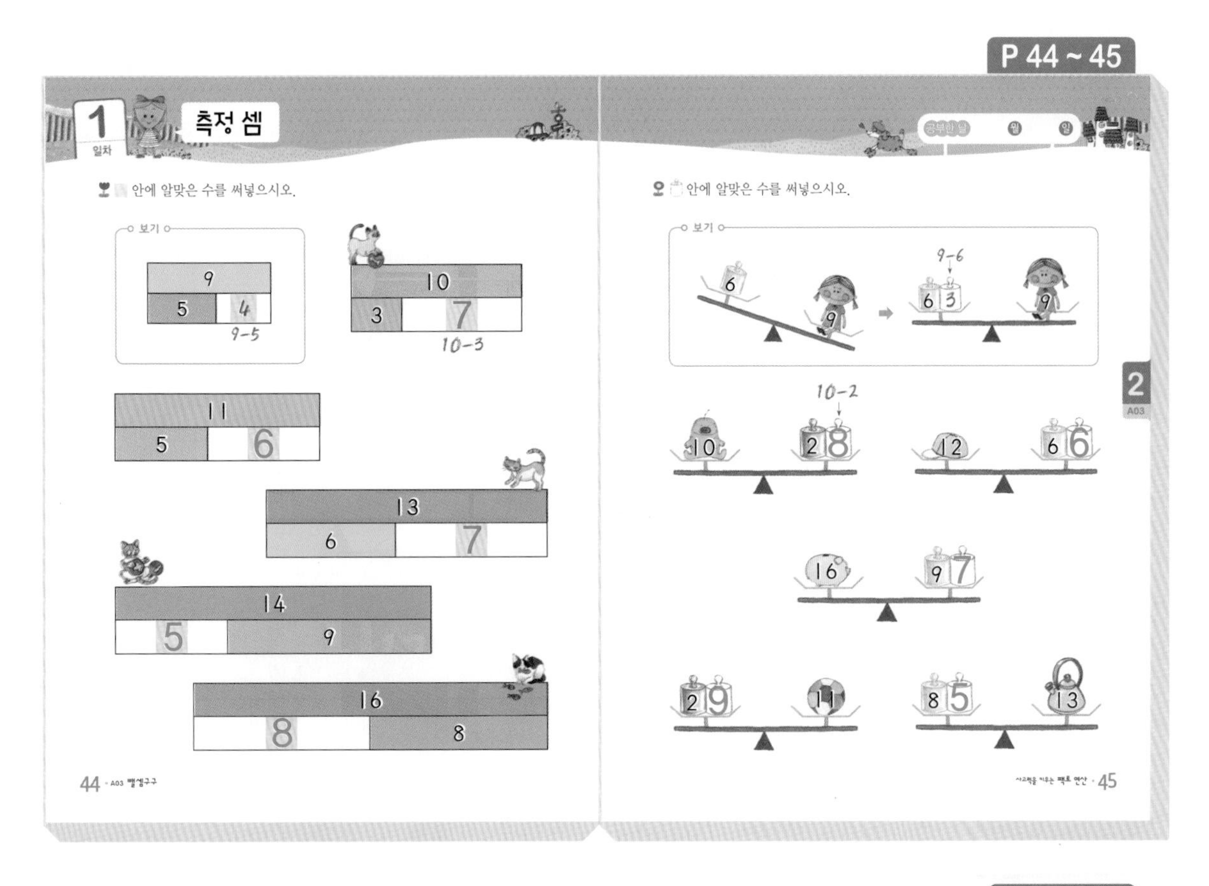

P 46 ~ 47

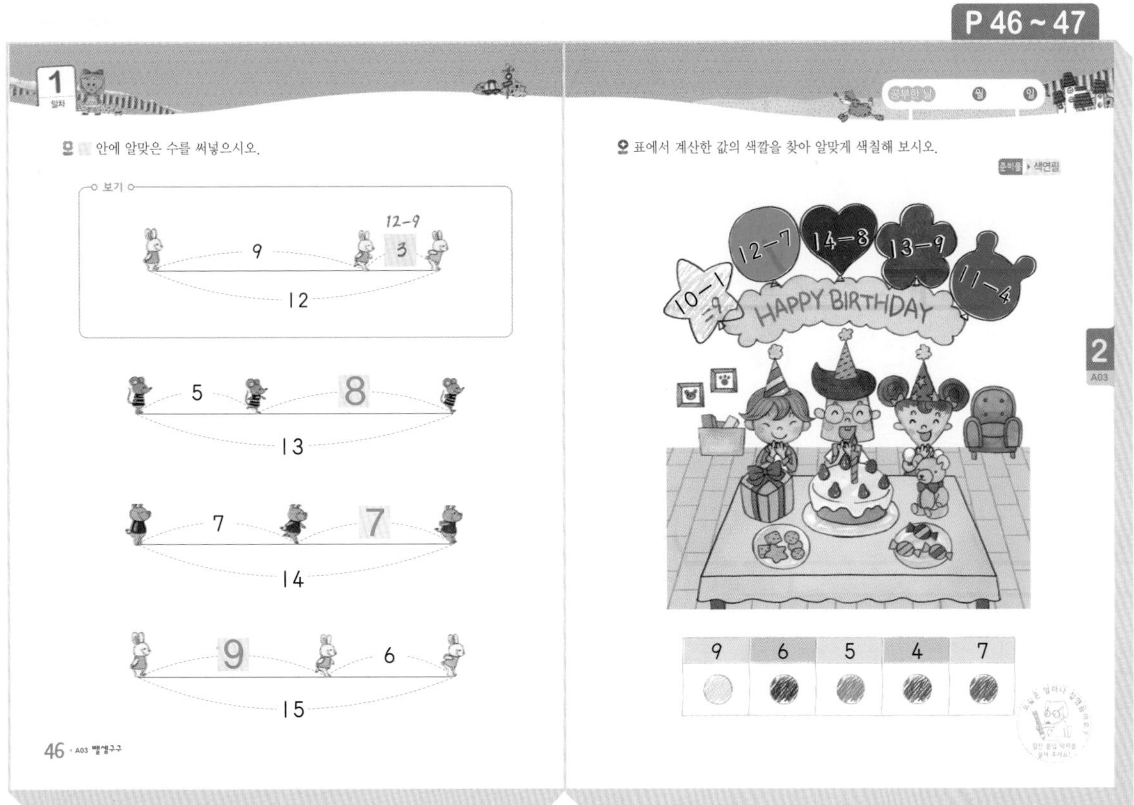

P 48 ~ 49

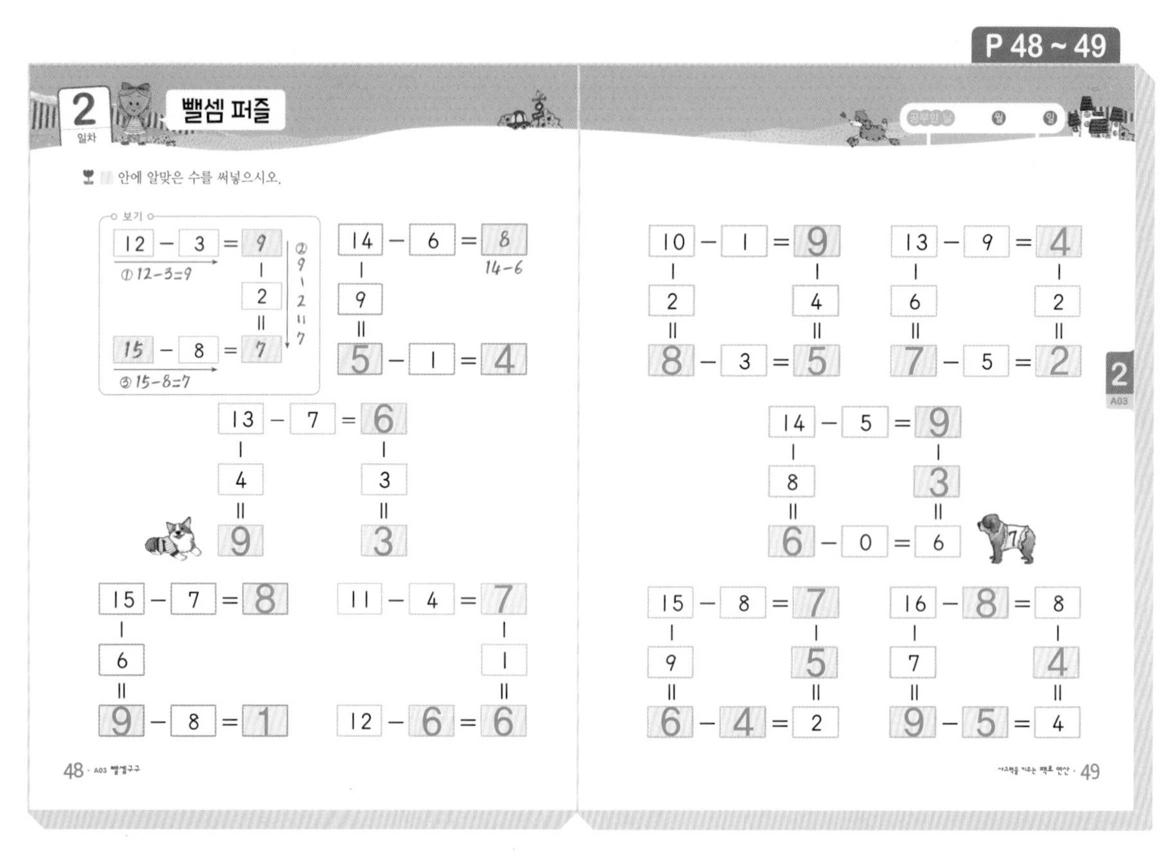
2 일차 뺄셈 퍼즐
안에 알맞은 수를 써넣으시오.
보기
12 − 3 = 9
① 12−3=9
2
15 − 8 = 7
② 9−2=7
③ 15−8=7
14 − 6 = 8
14−6
9
5 − 1 = 4
13 − 7 = 6
4
3
9
3
15 − 7 = 8
6
9 − 8 = 1
11 − 4 = 7
1
12 − 6 = 6
10 − 1 = 9
2
4
8 − 3 = 5
13 − 9 = 4
6
2
7 − 5 = 2
14 − 5 = 9
8
3
6 − 0 = 6
15 − 8 = 7
9
5
6 − 4 = 2
16 − 8 = 8
7
4
9 − 5 = 4
48 · A03 뺄셈구구
49

P 50 ~ 51

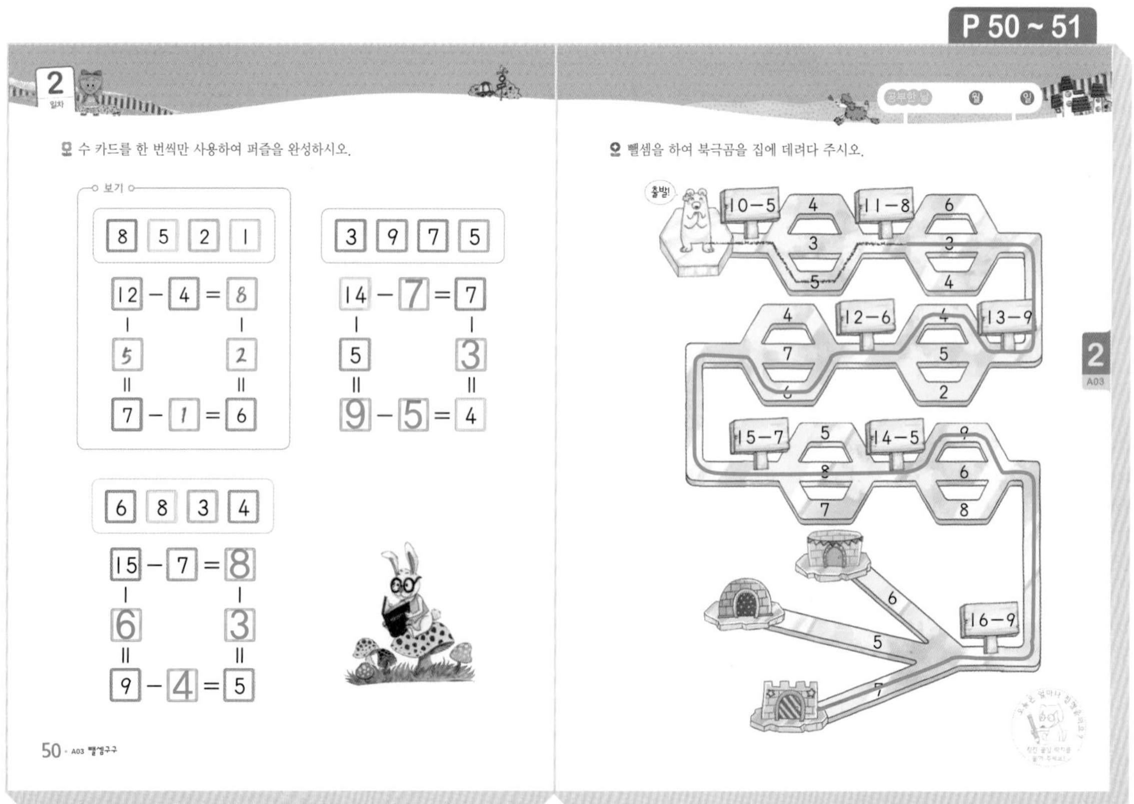
2 일차
수 카드를 한 번씩만 사용하여 퍼즐을 완성하시오.
보기
8 5 2 1
12 − 4 = 8
5
2
7 − 1 = 6
3 9 7 5
14 − 7 = 7
5
3
9 − 5 = 4
6 8 3 4
15 − 7 = 8
6
3
9 − 4 = 5
50 · A03 뺄셈구구
뺄셈을 하여 북극곰을 집에 데려다 주시오.
출발!
10−5
11−8
12−6
13−9
15−7
14−5
16−9

A03 정답

P 52 ~ 53

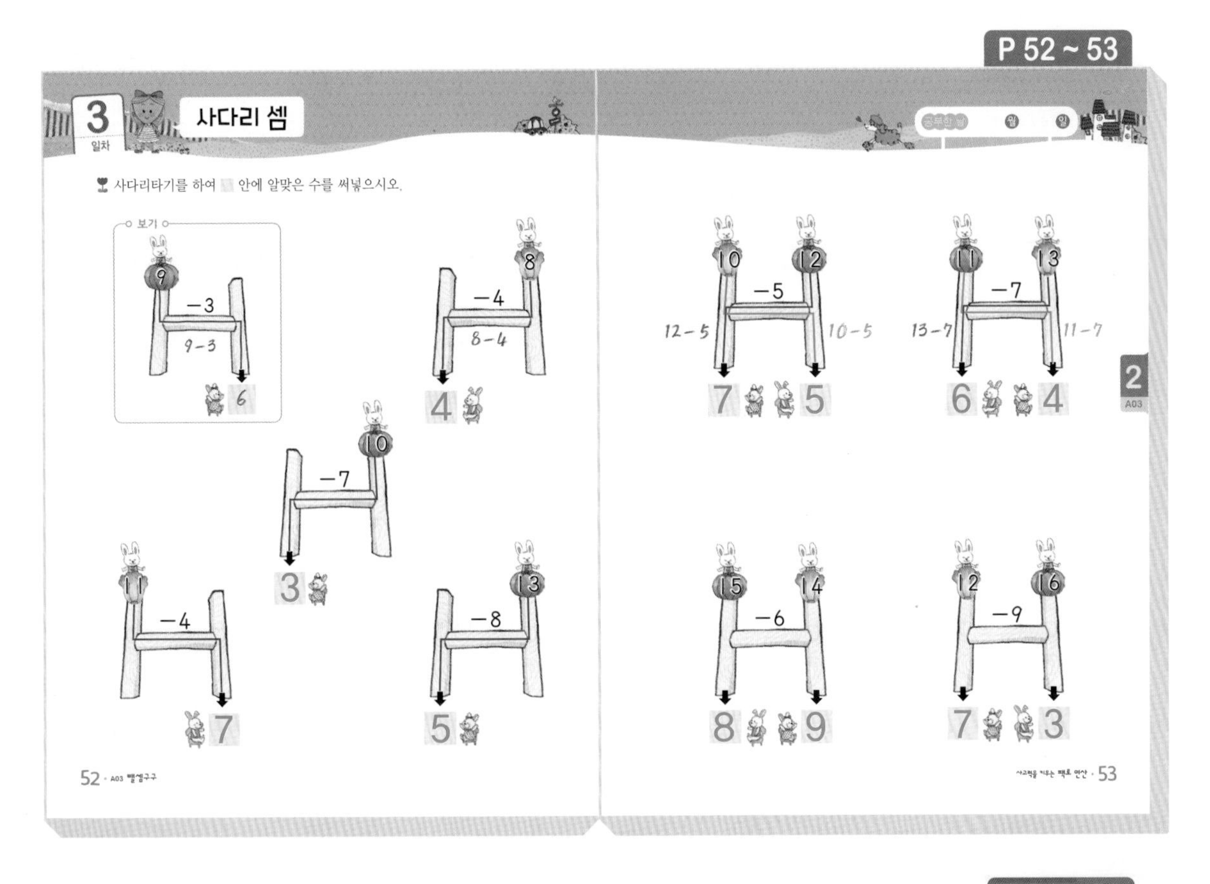

P 54 ~ 55

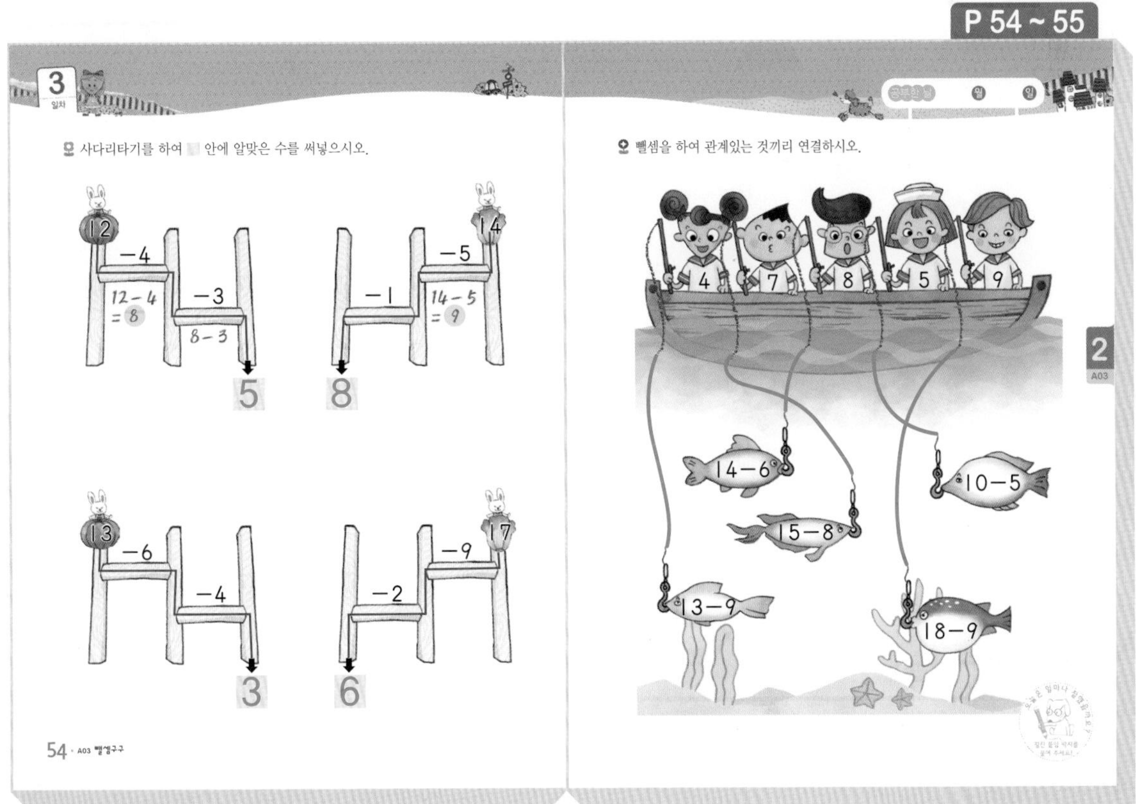

P 56 ~ 57

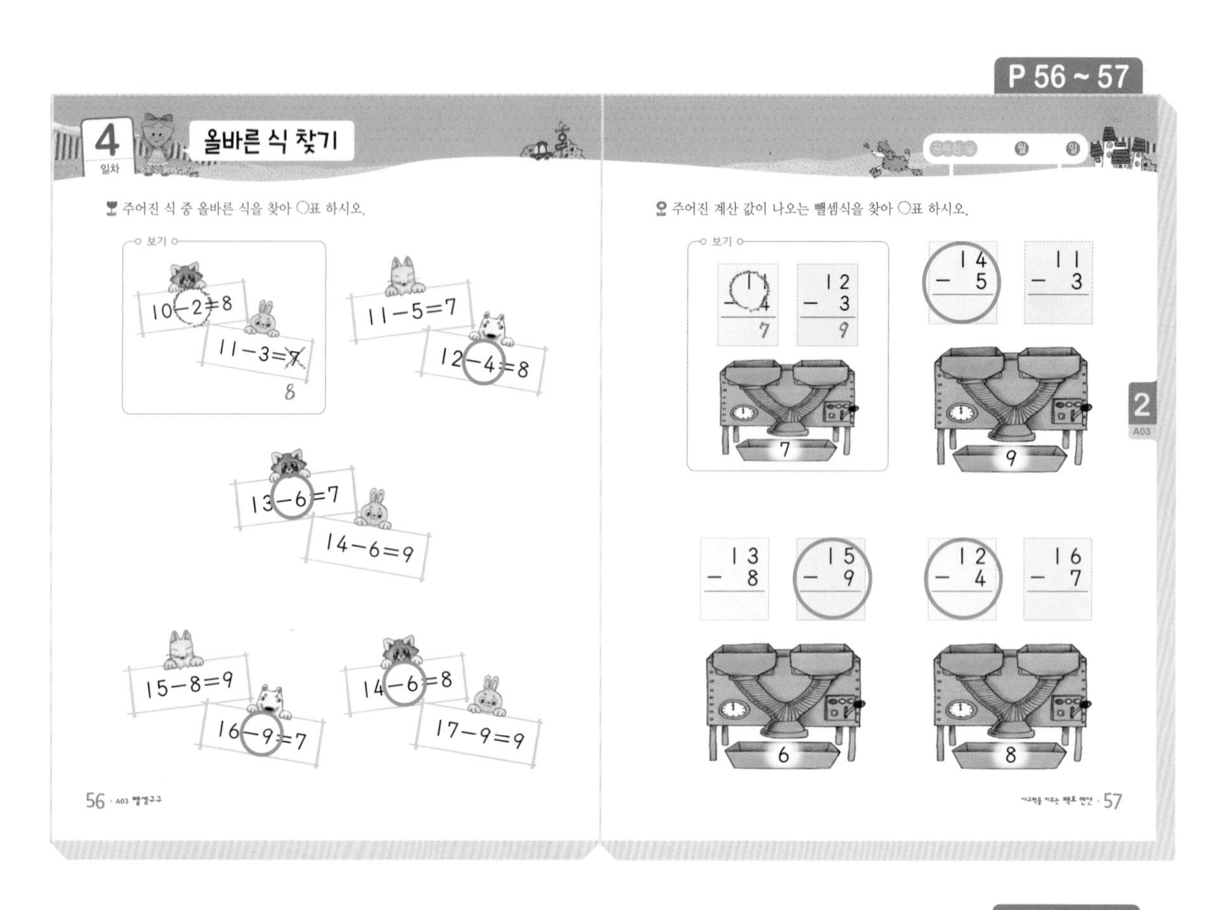
4 일차
올바른 식 찾기
주어진 식 중 올바른 식을 찾아 ○표 하시오.
보기
10−2=8
11−3=7
8
11−5=7
12−4=8
13−6=7
14−6=9
15−8=9
16−9=7
14−6=8
17−9=9
56 · A03 빼셈구구
주어진 계산 값이 나오는 뺄셈식을 찾아 ○표 하시오.
11 − 4 = 7
12 − 3 = 9
14 − 5
11 − 3
7
9
13 − 8
15 − 9
12 − 4
16 − 7
6
8
57

P 58 ~ 59

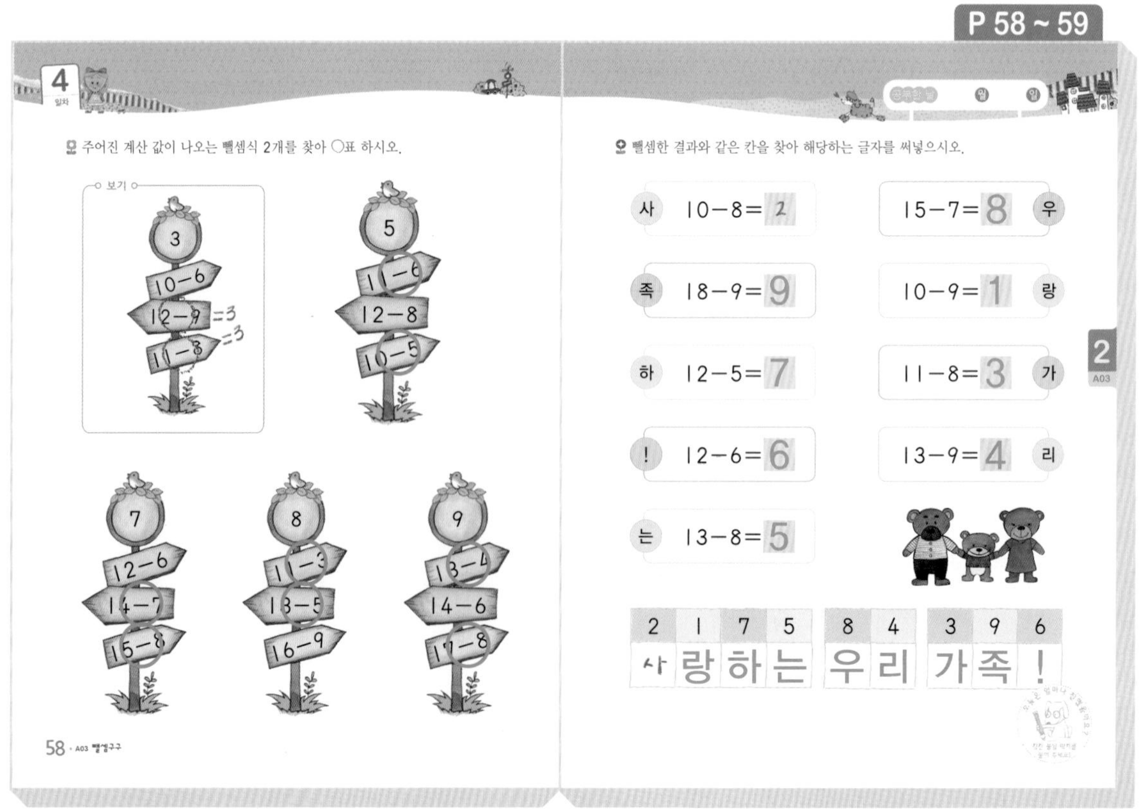
4 일차
주어진 계산 값이 나오는 뺄셈식 2개를 찾아 ○표 하시오.
보기
3
10−6
12−9 =3
11−8 =3
5
11−6
12−8
10−5
7
12−6
14−7
15−8
8
11−3
13−5
16−9
9
13−4
14−6
17−8
58 · A03 빼셈구구
뺄셈한 결과와 같은 칸을 찾아 해당하는 글자를 써넣으시오.
사 10−8=2
15−7=8 우
족 18−9=9
10−9=1 랑
하 12−5=7
11−8=3 가
! 12−6=6
13−9=4 리
는 13−8=5
2 1 7 5 8 4 3 9 6
사 랑 하 는 우 리 가 족 !

P 60 ~ 61

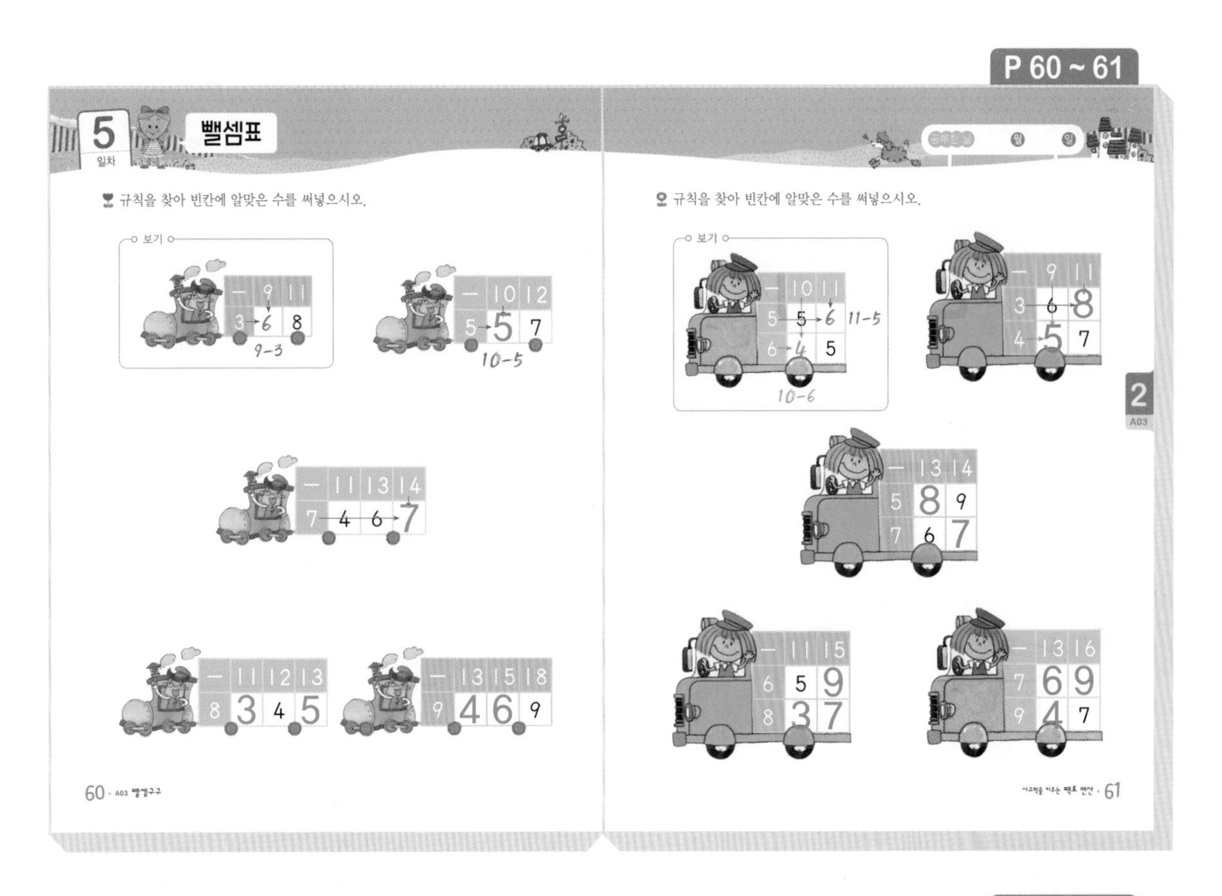
5 일차
뺄셈표
규칙을 찾아 빈칸에 알맞은 수를 써넣으시오.
보기
60 · A03 뺄셈구구
61

P 62 ~ 63

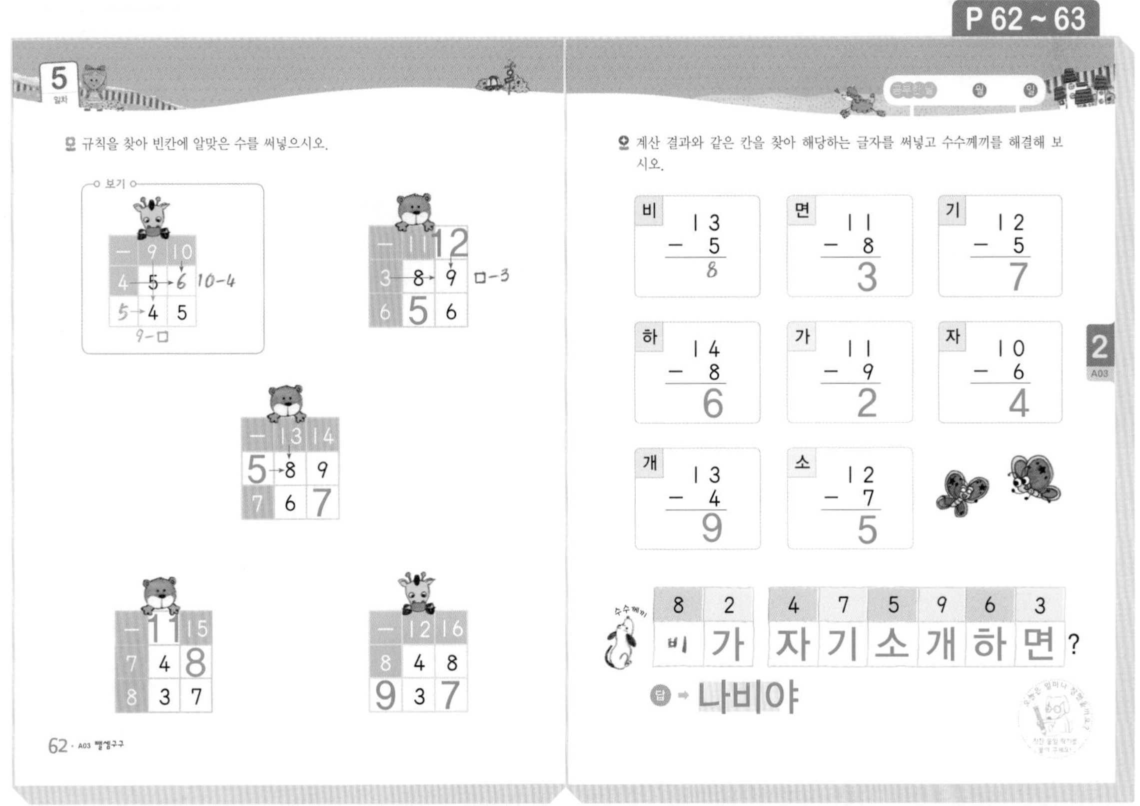
5 일차
규칙을 찾아 빈칸에 알맞은 수를 써넣으시오.
보기
계산 결과와 같은 칸을 찾아 해당하는 글자를 써넣고 수수께끼를 해결해 보시오.
비 가 자 기 소 개 하 면?
답 → 나비야
62 · A03 뺄셈구구

P 66 ~ 67

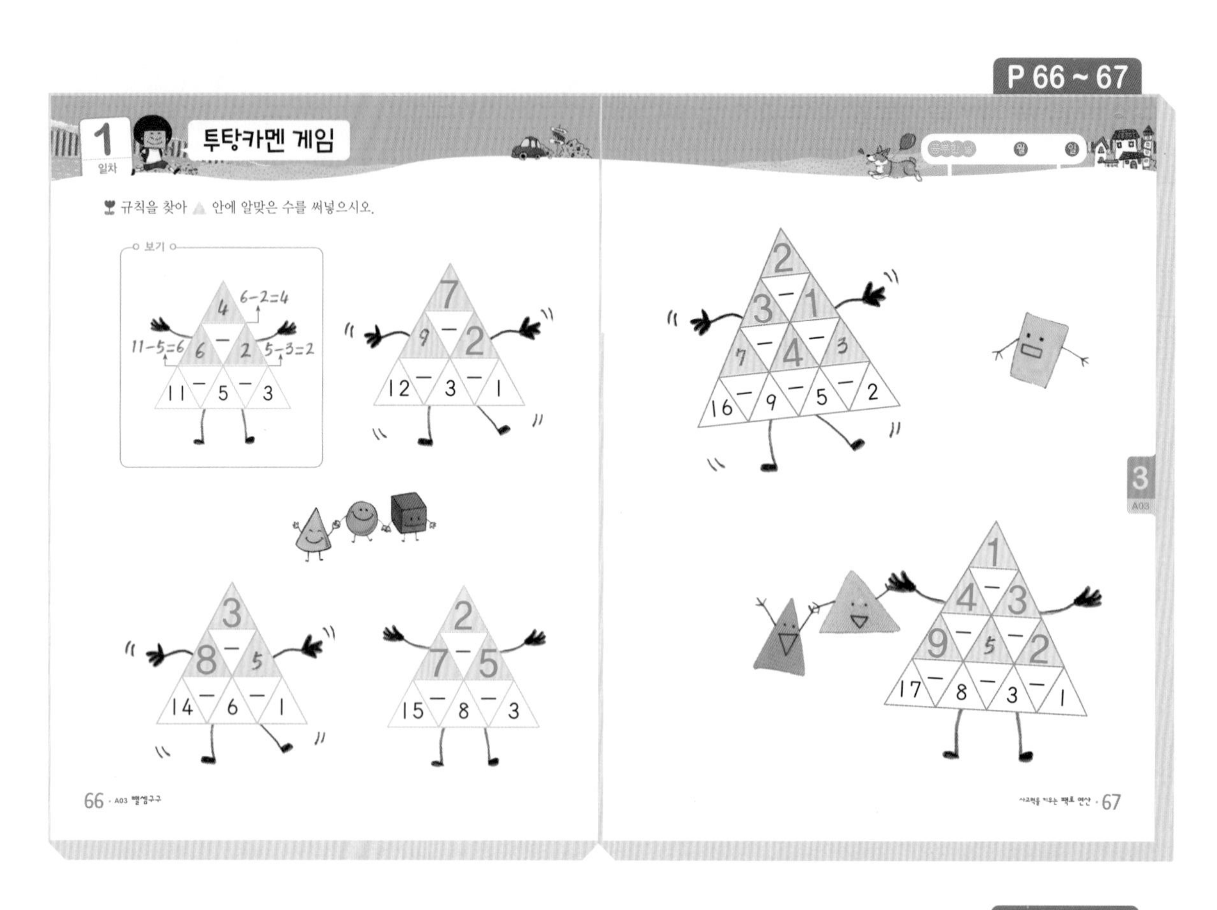
1 일차
투탕카멘 게임
규칙을 찾아 안에 알맞은 수를 써넣으시오.
보기
6-2=4
11-5=6
5-3=2
66 · A03 빨셈구구
67

P 68 ~ 69

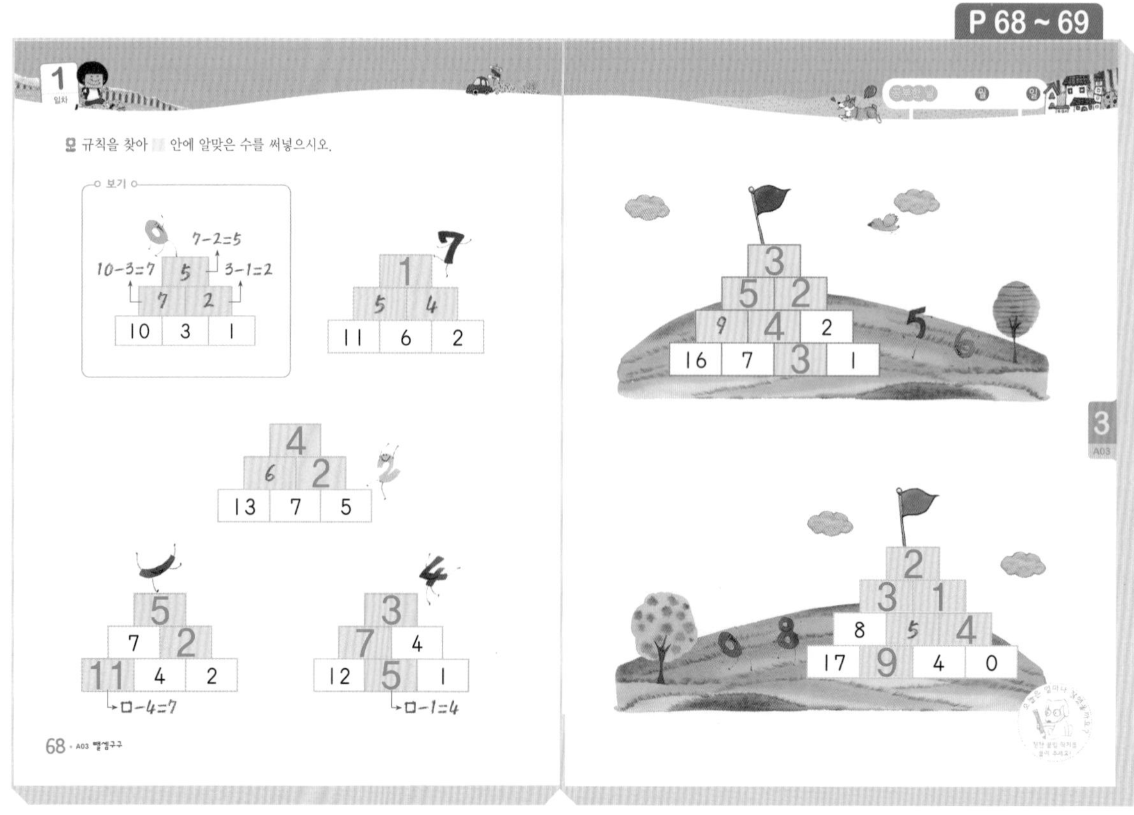
1 일차
규칙을 찾아 안에 알맞은 수를 써넣으시오.
보기
7-2=5
10-3=7
3-1=2
□-4=7
□-1=4
68 · A03 빨셈구구

A03
정답

P 70 ~ 71

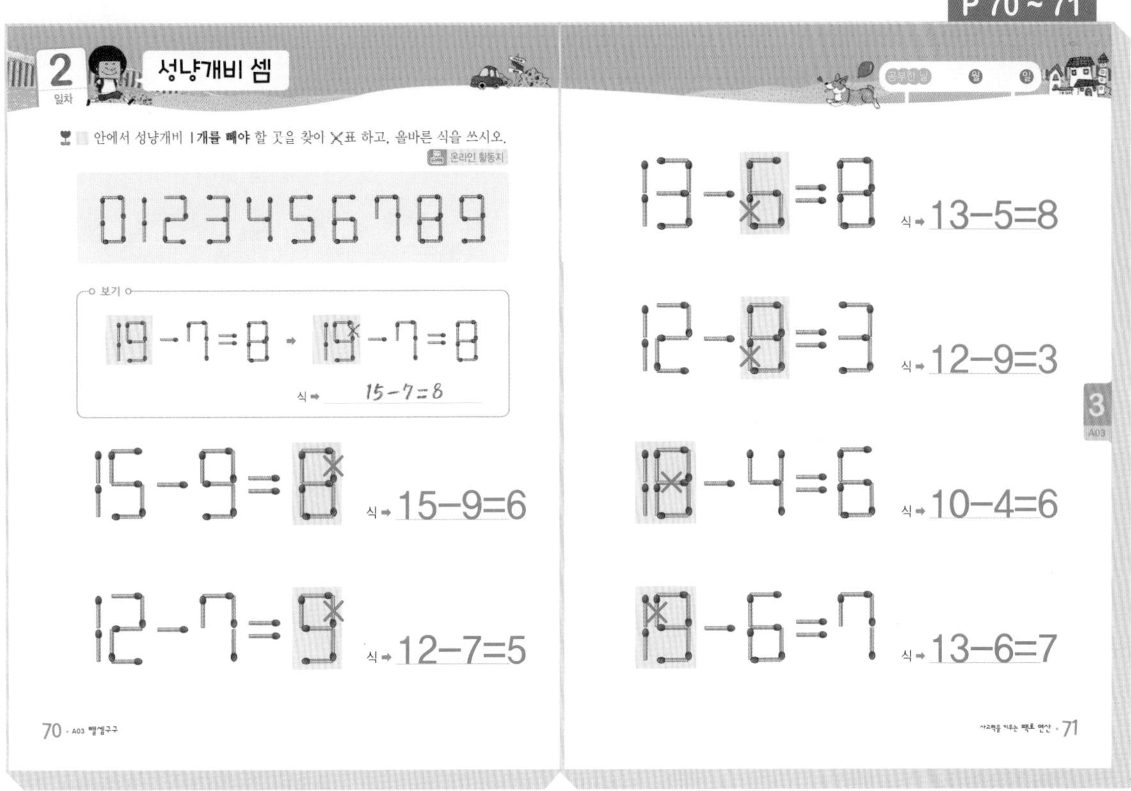
2 일차
성냥개비 셈
안에서 성냥개비 1개를 빼야 할 곳을 찾아 ×표 하고, 올바른 식을 쓰시오.
온라인 활동지
보기
식 ➡ 15-7=8
식 ➡ 15-9=6
식 ➡ 12-7=5
식 ➡ 13-5=8
식 ➡ 12-9=3
식 ➡ 10-4=6
식 ➡ 13-6=7
70
71

P 72 ~ 73

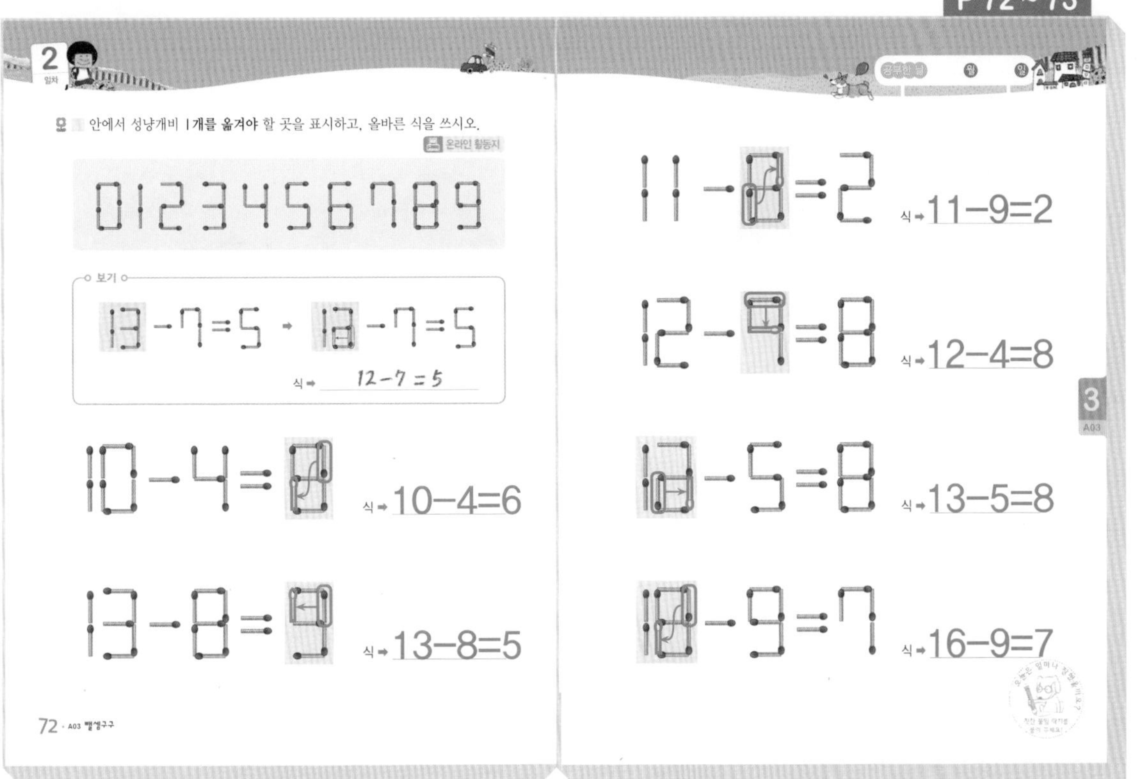
2 일차
안에서 성냥개비 1개를 옮겨야 할 곳을 표시하고, 올바른 식을 쓰시오.
온라인 활동지
보기
식 ➡ 12-7=5
식 ➡ 10-4=6
식 ➡ 13-8=5
식 ➡ 11-9=2
식 ➡ 12-4=8
식 ➡ 13-5=8
식 ➡ 16-9=7
72

P 74 ~ 75

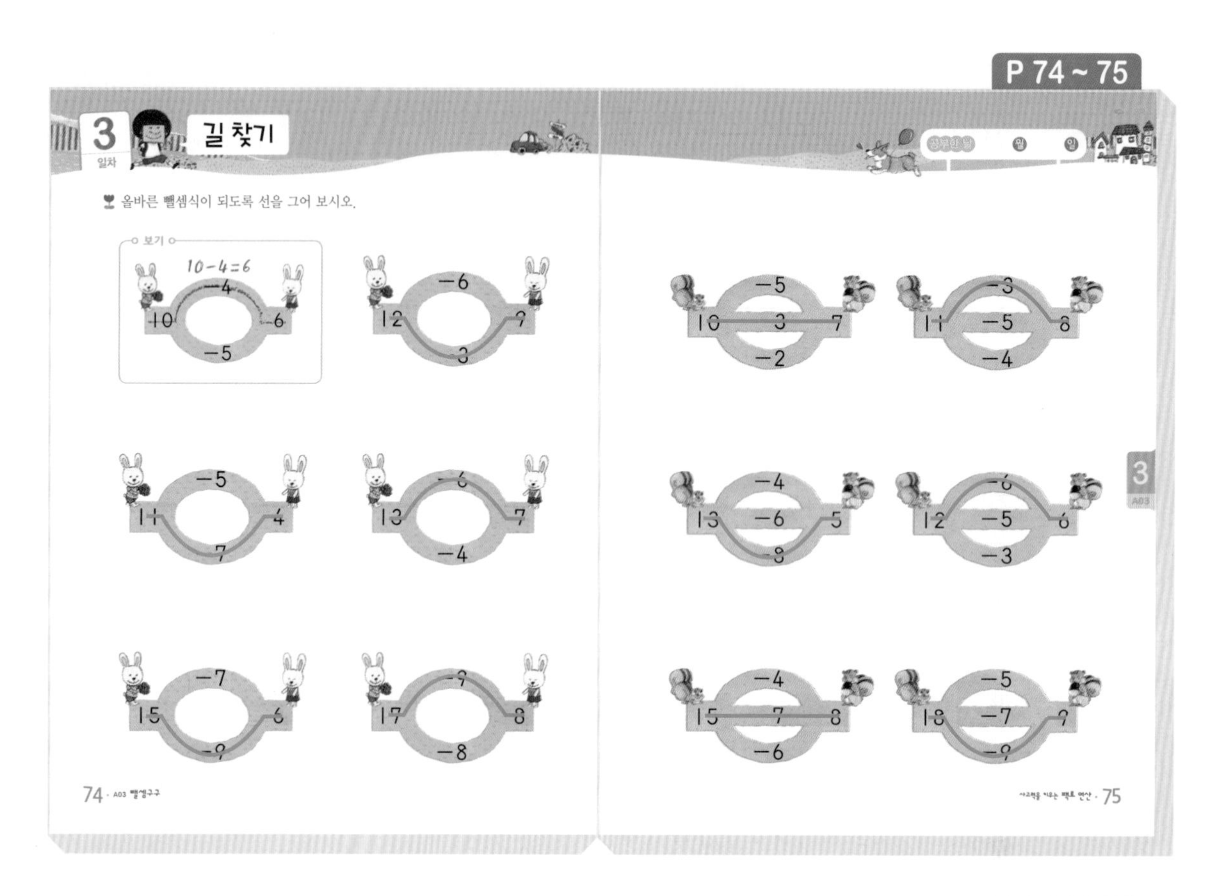
3 일차 길 찾기
올바른 뺄셈식이 되도록 선을 그어 보시오.
보기
10-4=6
-4
10
6
-5
-6
12
7
3
-5
11
4
7
-6
13
7
-4
-7
15
6
-9
-9
17
8
-8
-5
10
3
7
-2
-3
11
-5
8
-4
-4
13
-6
5
-8
-6
12
-5
6
-3
-4
15
7
8
-6
-5
18
-7
9
-9
74
75

P 76 ~ 77

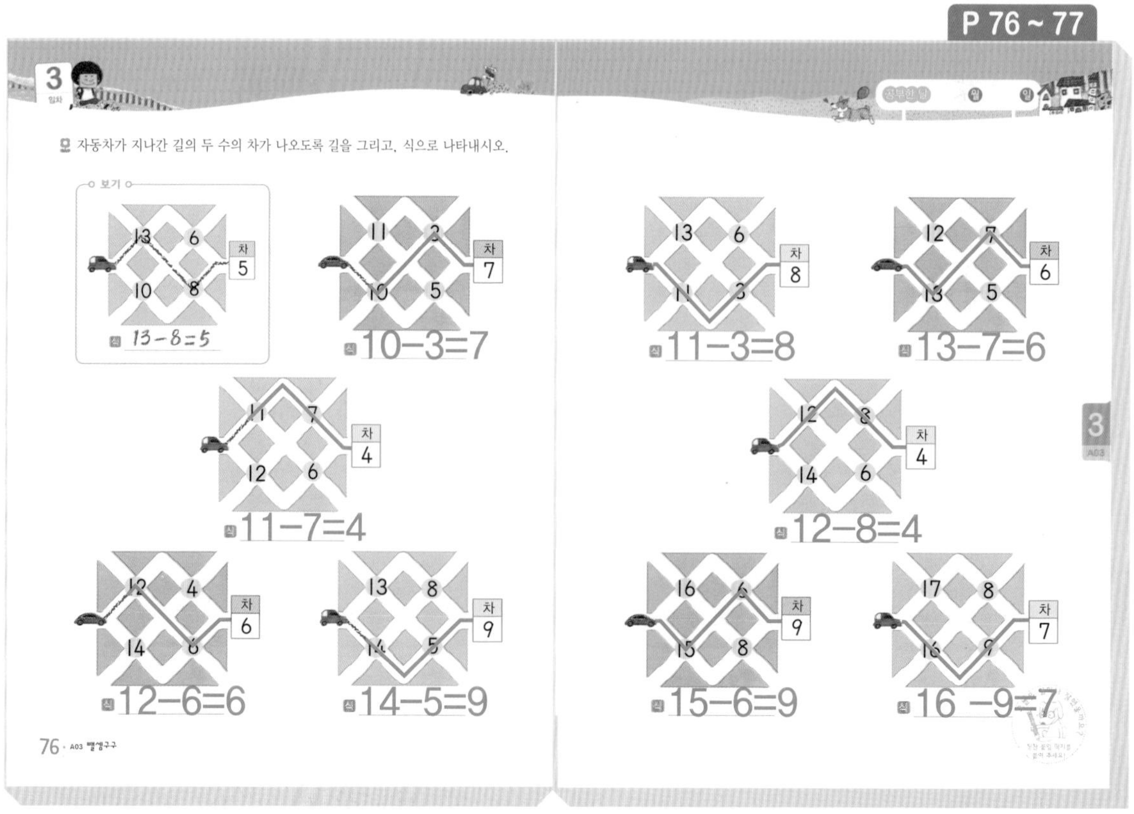
3 일차
자동차가 지나간 길의 두 수의 차가 나오도록 길을 그리고, 식으로 나타내시오.
보기
13 6 10 8 차 5
식 13-8=5
11 3 10 5 차 7
식 10-3=7
11 7 12 6 차 4
식 11-7=4
12 4 14 6 차 6
식 12-6=6
13 8 14 5 차 9
식 14-5=9
13 6 11 3 차 8
식 11-3=8
12 7 13 5 차 6
식 13-7=6
12 8 14 6 차 4
식 12-8=4
16 6 15 8 차 9
식 15-6=9
17 8 16 9 차 7
식 16 -9=7
76

A03 정답

P 78 ~ 79

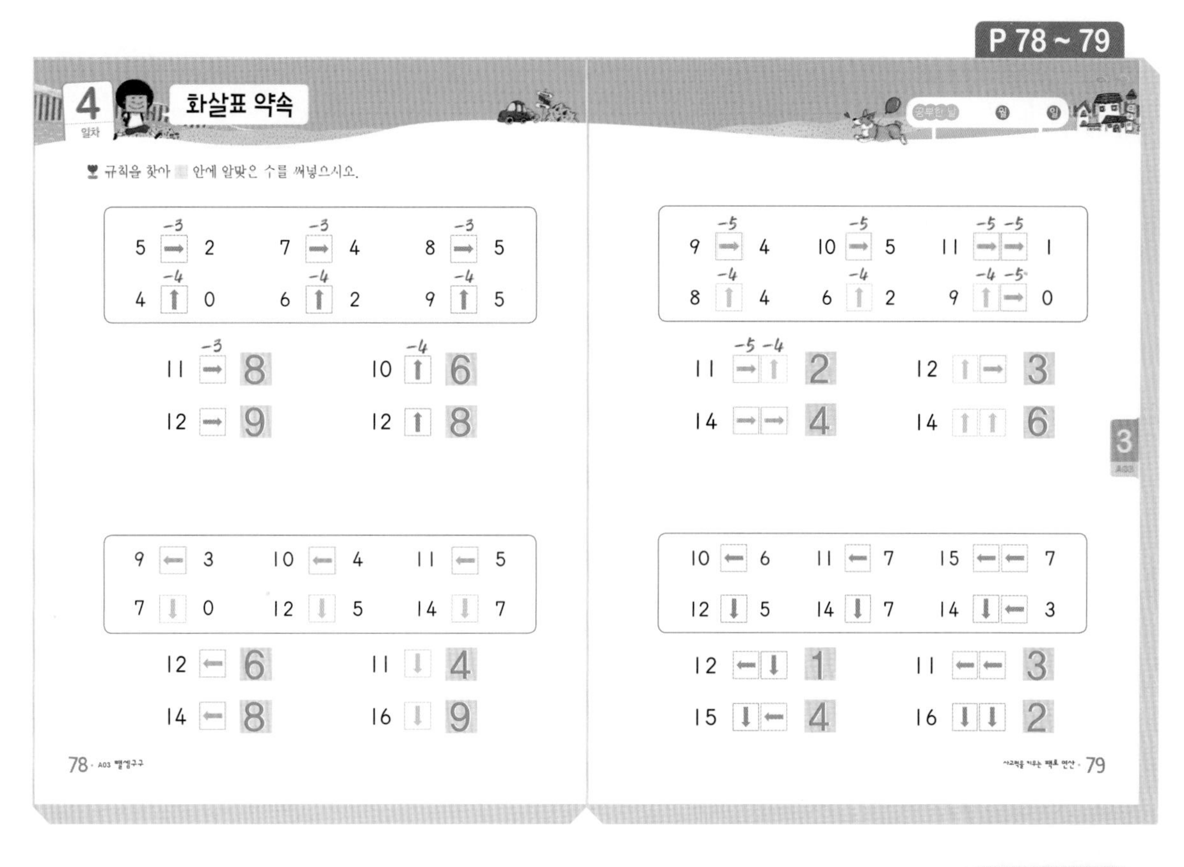

4 일차 화살표 약속

공부한 날 월 일

규칙을 찾아 ▢ 안에 알맞은 수를 써넣으시오.

5 → 2 (−3)　7 → 4 (−3)　8 → 5 (−3)
4 ↑ 0 (−4)　6 ↑ 2 (−4)　9 ↑ 5 (−4)

11 → 8　10 ↑ 6
12 → 9　12 ↑ 8

9 ← 3　10 ← 4　11 ← 5
7 ↓ 0　12 ↓ 5　14 ↓ 7

12 ← 6　11 ↓ 4
14 ← 8　16 ↓ 9

78 · A03 팩토

9 → 4 (−5)　10 → 5 (−5)　11 →→ 1 (−5 −5)
8 ↑ 4 (−4)　6 ↑ 2 (−4)　9 ↑→ 0 (−4 −5)

11 →↑ 2 (−5 −4)　12 ↑→ 3
14 →→ 4　14 ↑↑ 6

10 ← 6　11 ← 7　15 ←← 7
12 ↓ 5　14 ↓ 7　14 ↓← 3

12 ←↓ 1　11 ←← 3
15 ↓← 4　16 ↓↓ 2

사고력을 키우는 팩토 연산 · 79

P 80 ~ 81

4 일차

공부한 날 월 일

규칙을 찾아 빈 곳에 알맞은 수를 써넣으시오.

8 → 5　10 → 7　11 →→ 5
4 ↑ 9　6 ↑ 11　9 →↑ 11

출발! 9 → 6 ↑ 11 →→ 5 →↑ 7

출발! 5 ↑ 10 → 7 →↑ 9 →→ 3

출발! 12 →→ 6 → 3 ↑→ 5 →↑ 7

출발! 0 ↑→ 2 ↑↑ 12 → 9 →→ 3

80 · A03 팩토

규칙을 찾아 빈 곳에 알맞은 화살표를 그려 넣으시오.

6 ← 3　10 ← 7　12 ← 9
7 ↓ 11　8 ↓ 12　9 ↓ 13
10 ↑ 4　11 ↑ 5　13 ↑ 7

출발! 12 ← 9 ↓ 13 ↑ 7 ↓ 11 ↑ 5

출발! 11 ↑ 5 ↓ 9 ← 6 ↓ 10 ← 7

출발! 13 ↑ 7 ↓ 11 ← 8 ← 5 ↓ 9

출발! 11 ← 8 ↑ 2 ↓ 6 ↓ 10 ↑ 4

3 A03

P 82 ~ 83

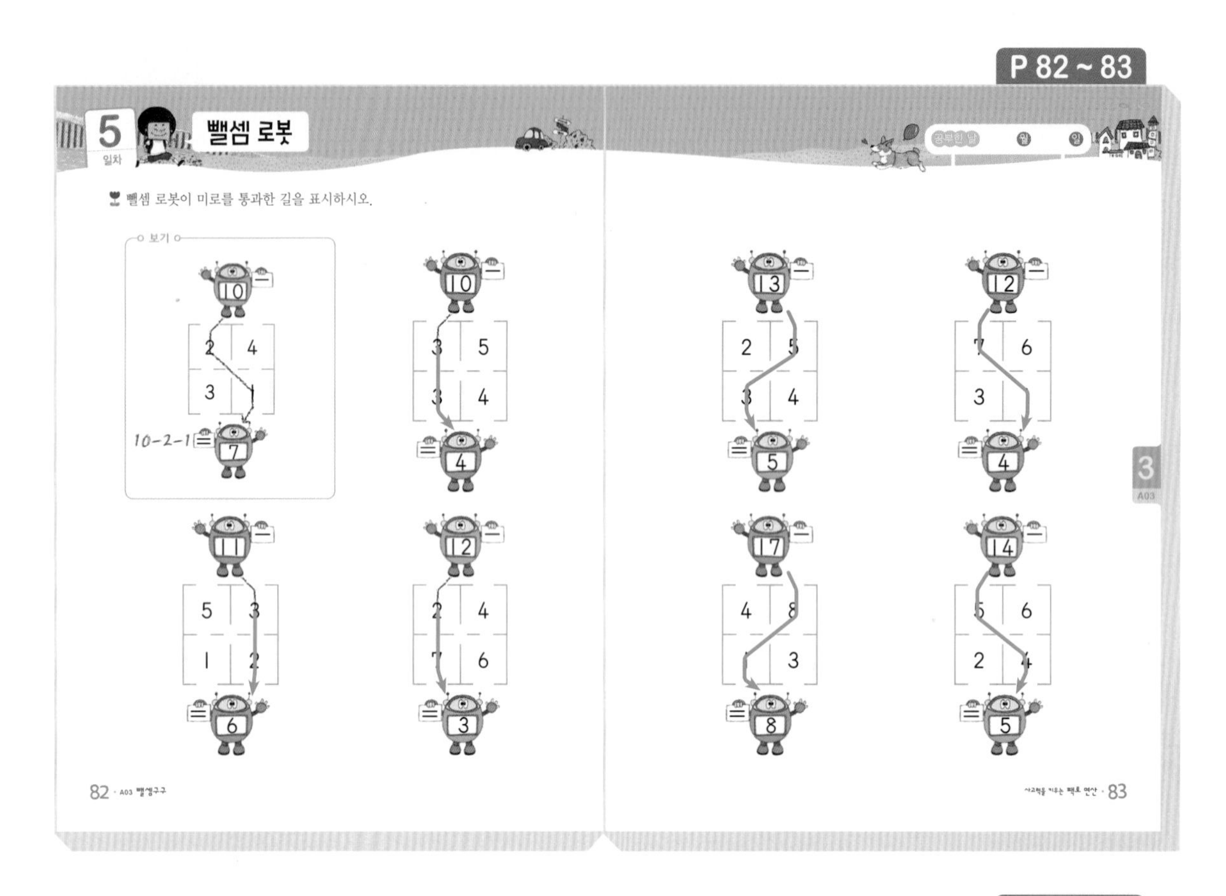
5 일차
뺄셈 로봇
뺄셈 로봇이 미로를 통과한 길을 표시하시오.
보기
10-2-1=7
82 · A03 뺄셈구구
83

P 84 ~ 85

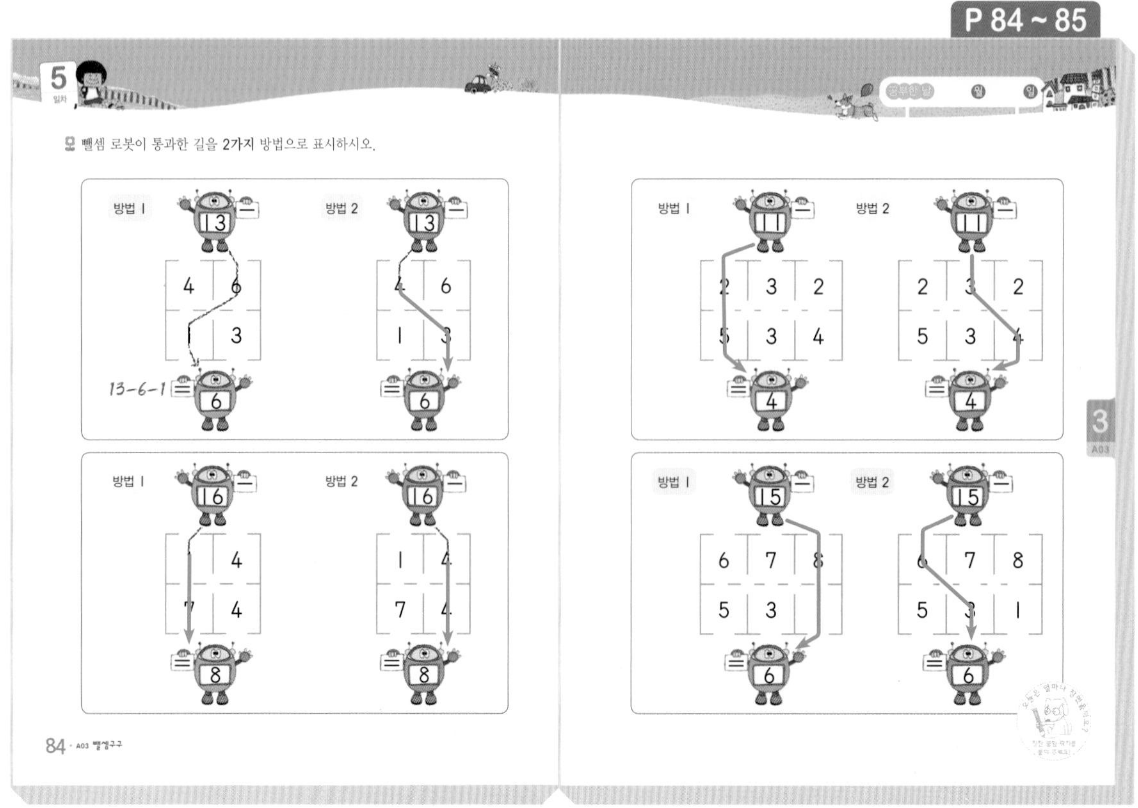
5 일차
뺄셈 로봇이 통과한 길을 2가지 방법으로 표시하시오.
방법 1
방법 2
13-6-1=6
84 · A03 뺄셈구구

P 88 ~ 89

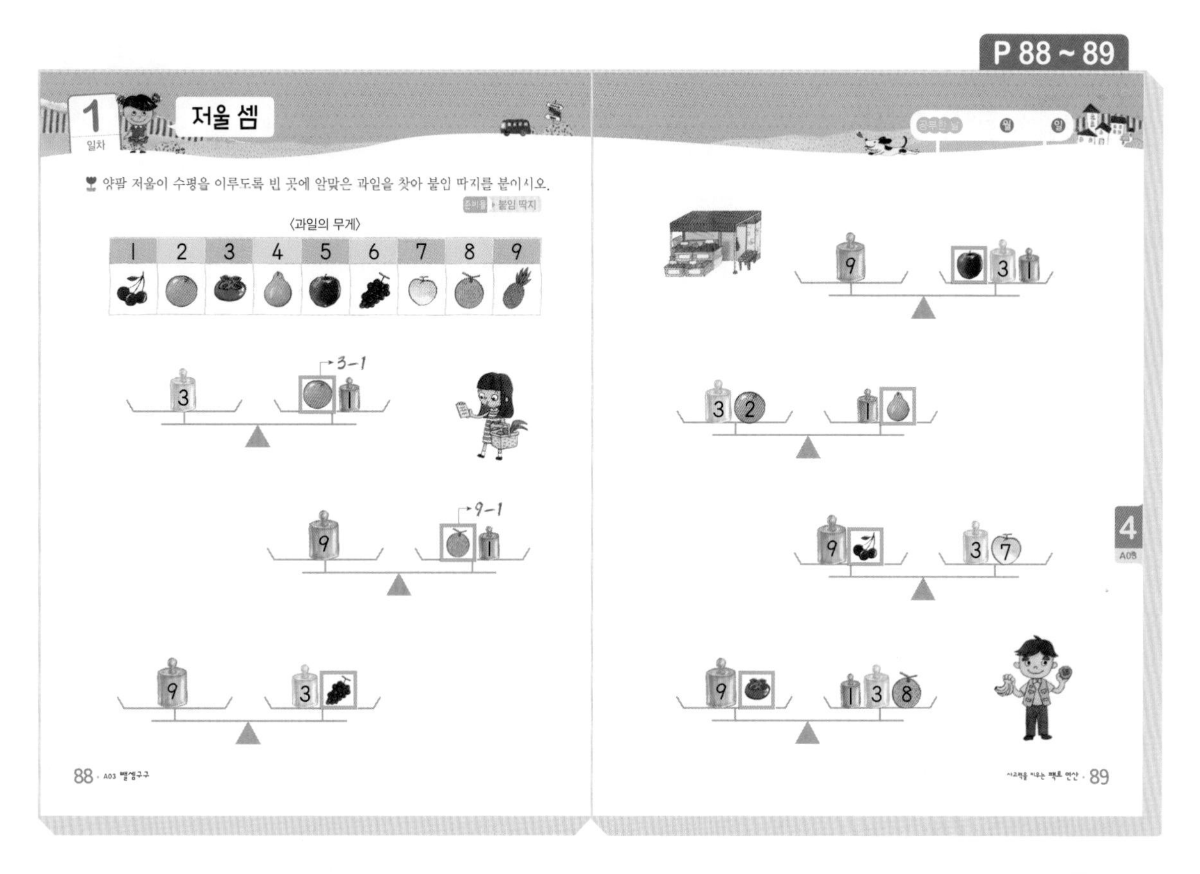
1 일차
저울 셈
양팔 저울이 수평을 이루도록 빈 곳에 알맞은 과일을 찾아 붙임 딱지를 붙이시오.
붙임 딱지
〈과일의 무게〉
1 2 3 4 5 6 7 8 9
3-1
9-1
88 · A03 팩토연산
사고력을 키우는 팩토 연산 · 89

P 90 ~ 91

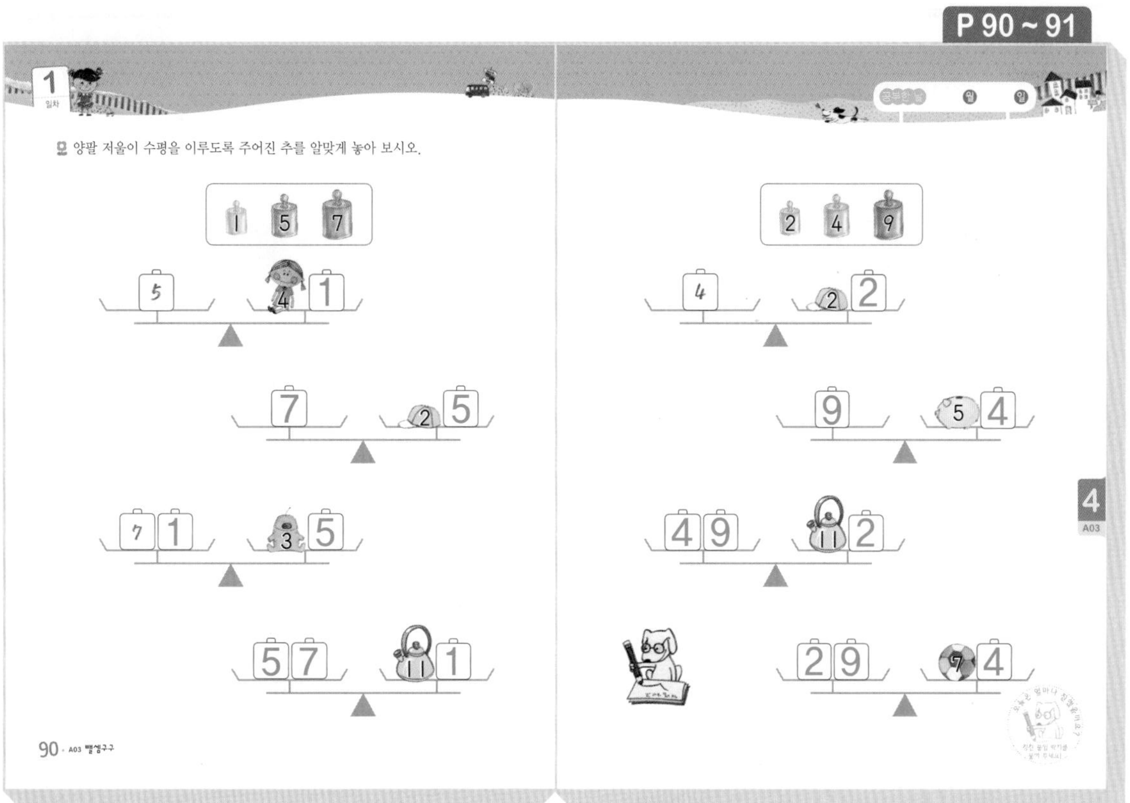
1 일차
양팔 저울이 수평을 이루도록 주어진 추를 알맞게 놓아 보시오.
1 5 7
2 4 9
90 · A03 팩토연산

P 92 ~ 93

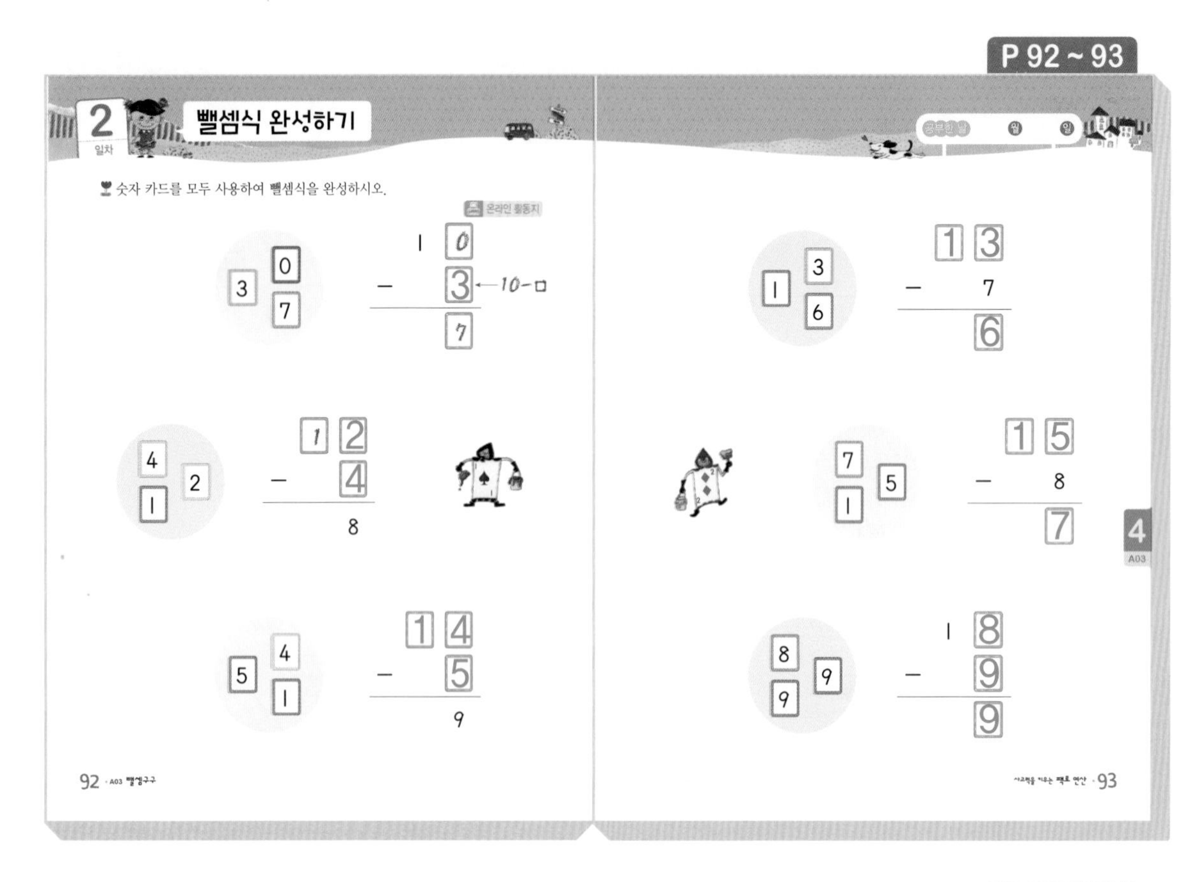
2 일차
뺄셈식 완성하기
숫자 카드를 모두 사용하여 뺄셈식을 완성하시오.
온라인 활동지
10−□
92
93

P 94 ~ 95

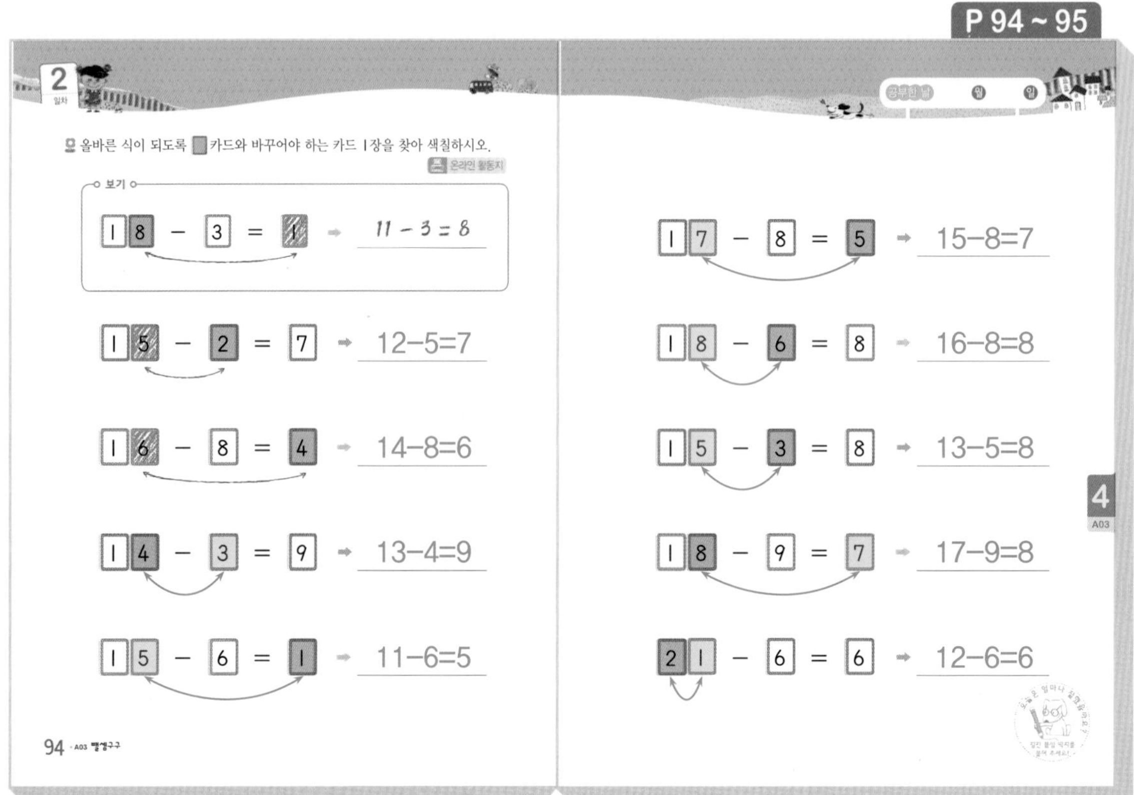
2 일차
올바른 식이 되도록 카드와 바꾸어야 하는 카드 1장을 찾아 색칠하시오.
온라인 활동지
보기
11 − 3 = 8
12−5=7
14−8=6
13−4=9
11−6=5
15−8=7
16−8=8
13−5=8
17−9=8
12−6=6
94

P 96 ~ 97

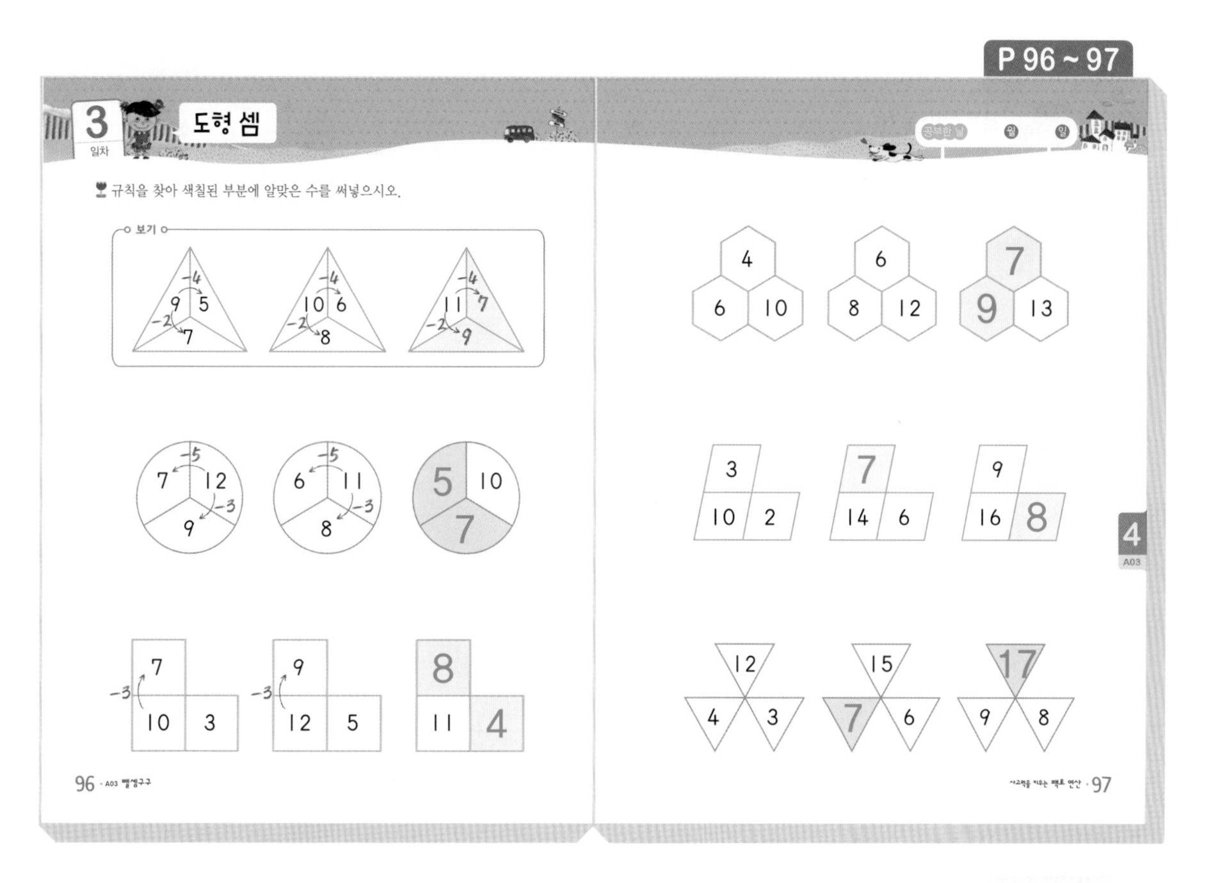
3 일차
도형 셈
규칙을 찾아 색칠된 부분에 알맞은 수를 써넣으시오.
보기
96 · A03 빵빵구구
사고력을 키우는 팩토 연산 · 97

P 98 ~ 99

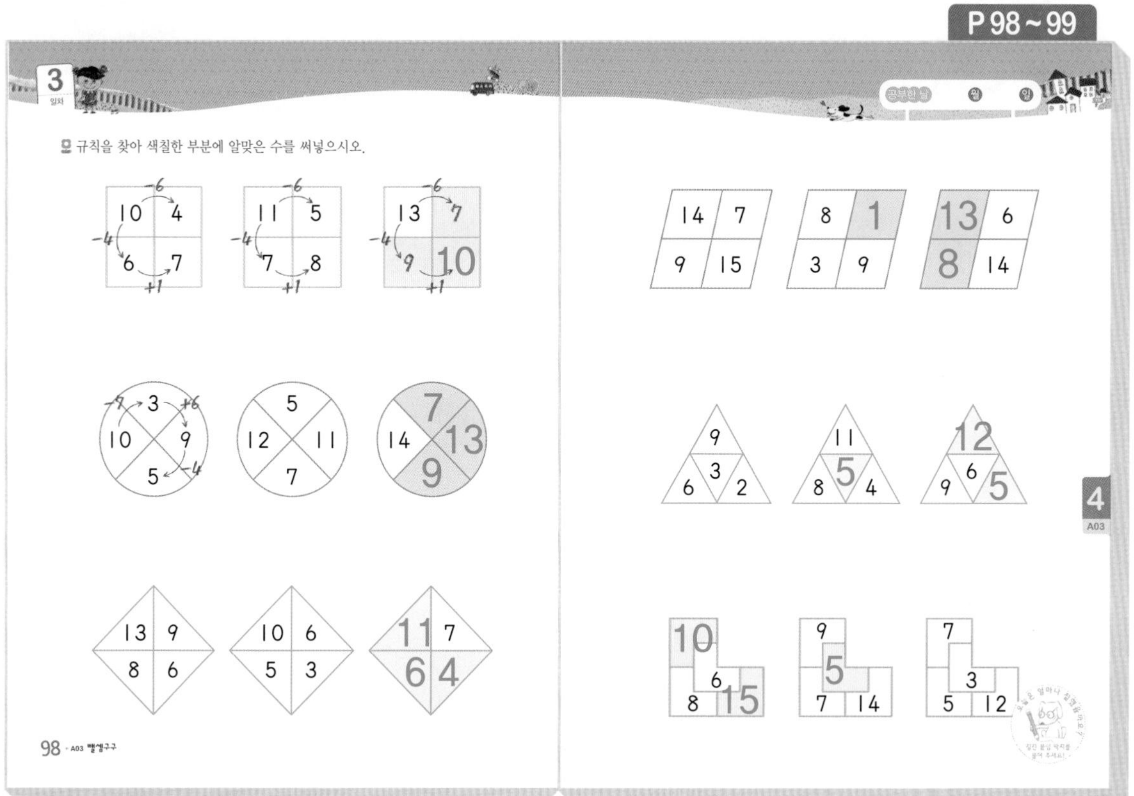
3 일차
규칙을 찾아 색칠한 부분에 알맞은 수를 써넣으시오.
98 · A03 빵빵구구

P 100 ~ 101

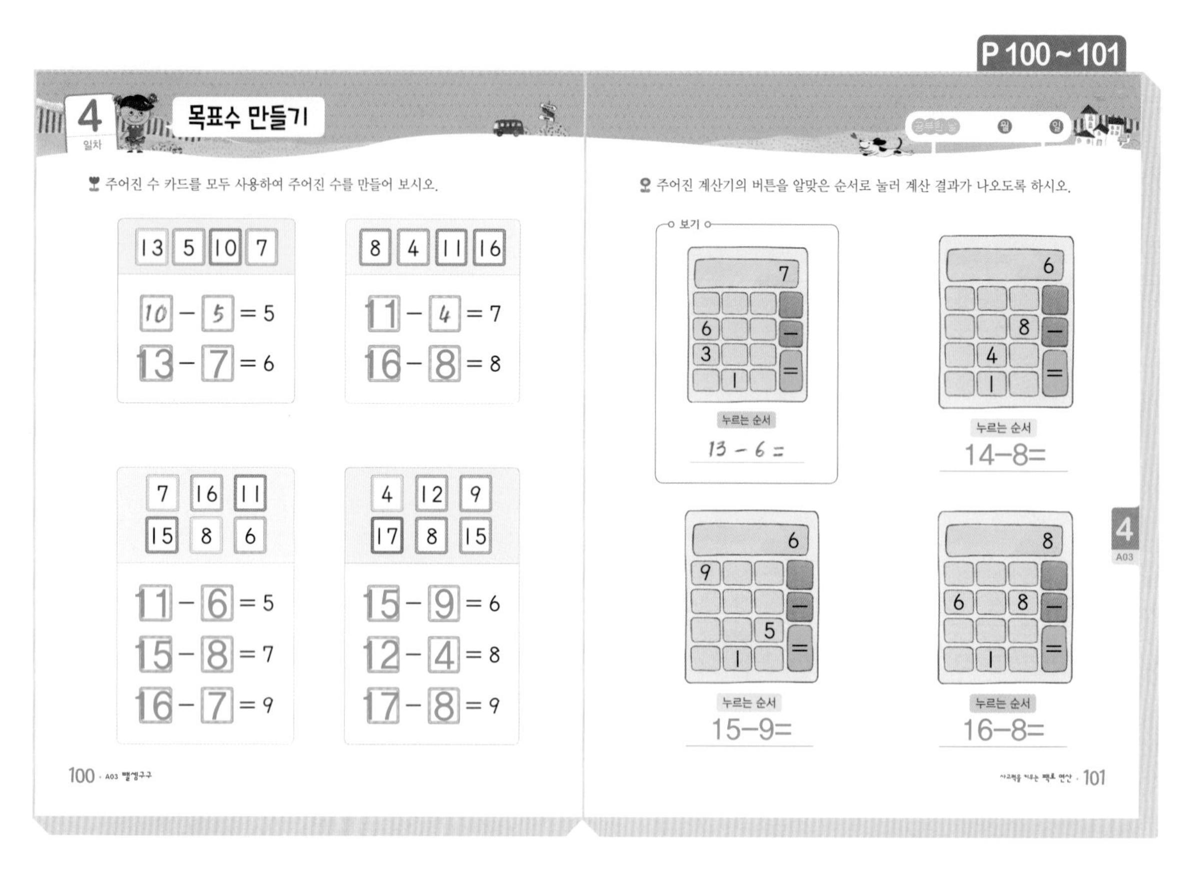

P 102 ~ 103

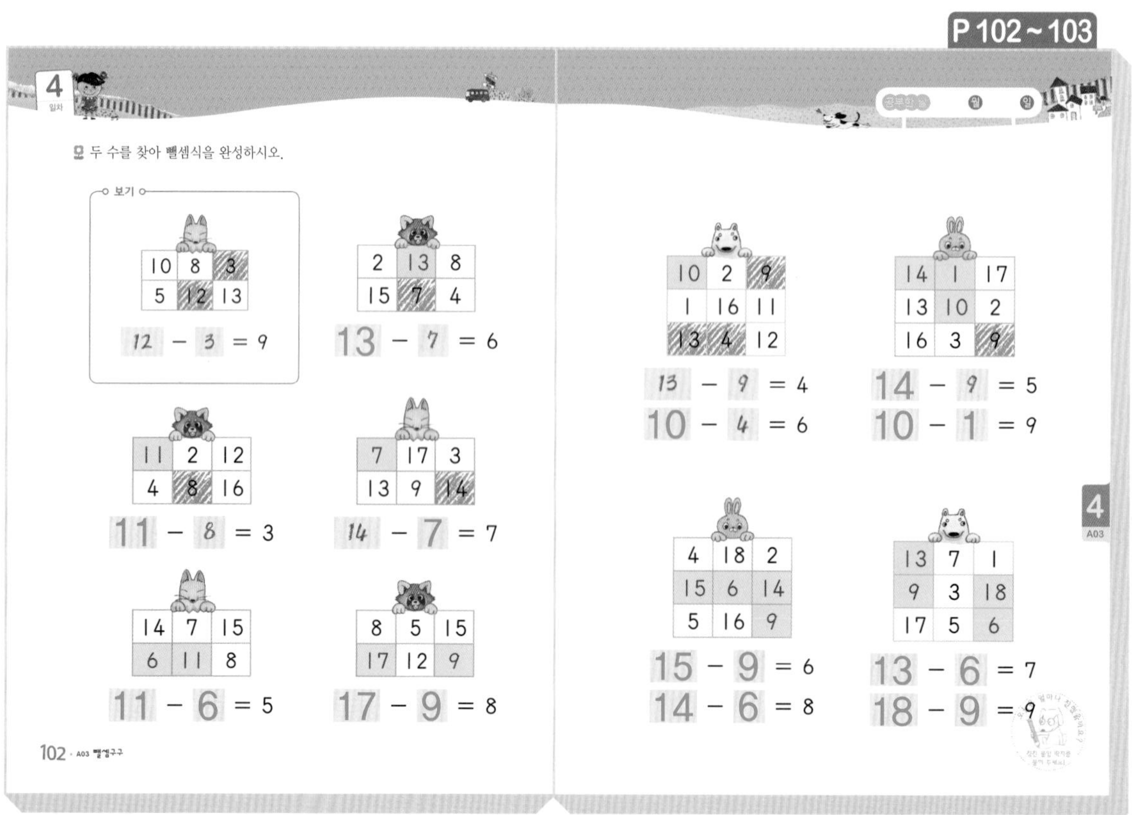

A03 정답

P 104~105

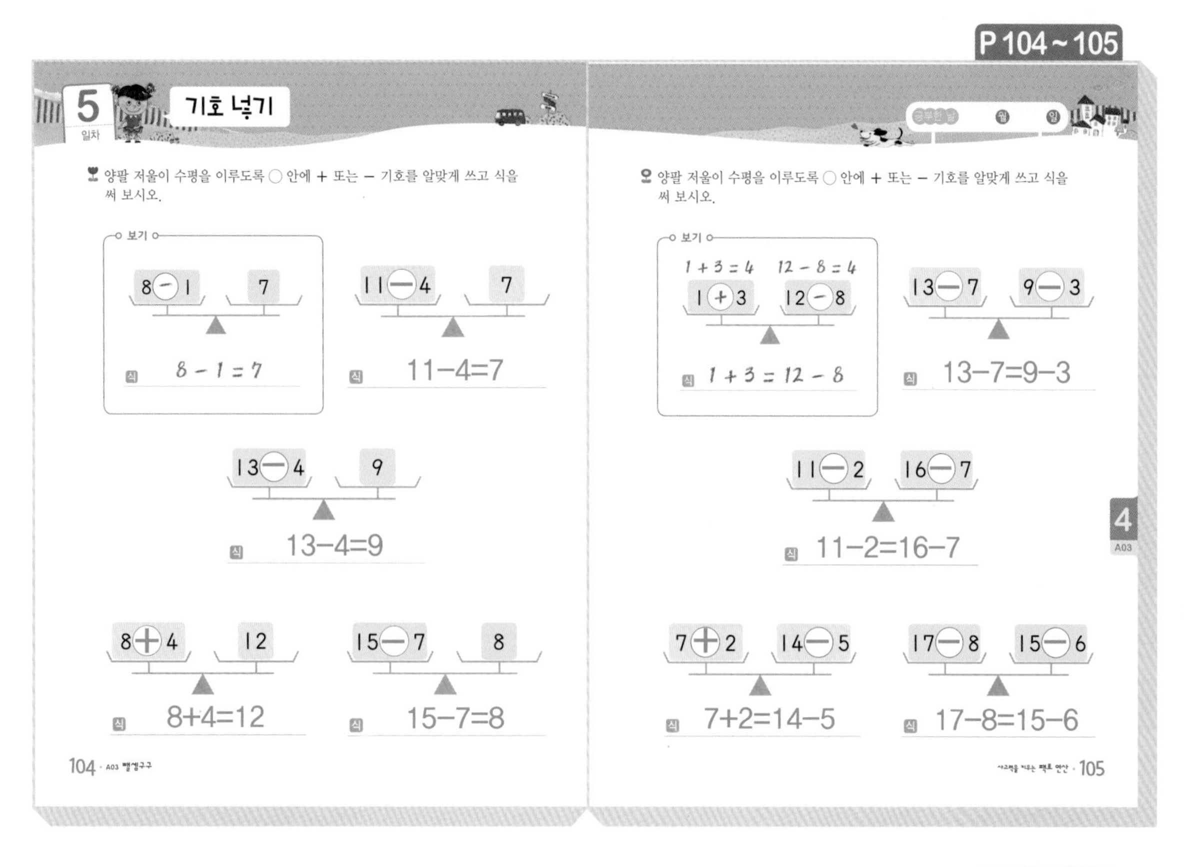
5 일차 기호 넣기

양팔 저울이 수평을 이루도록 ○ 안에 + 또는 − 기호를 알맞게 쓰고 식을 써 보시오.

보기: 8 − 1 | 7 — 식 8 − 1 = 7

11 − 4 | 7 — 식 11−4=7

13 − 4 | 9 — 식 13−4=9

8 + 4 | 12 — 식 8+4=12

15 − 7 | 8 — 식 15−7=8

104 · A03 팩토 연산

양팔 저울이 수평을 이루도록 ○ 안에 + 또는 − 기호를 알맞게 쓰고 식을 써 보시오.

보기: 1 + 3 = 4, 12 − 8 = 4 / 1 + 3 | 12 − 8 — 식 1 + 3 = 12 − 8

13 − 7 | 9 − 3 — 식 13−7=9−3

11 − 2 | 16 − 7 — 식 11−2=16−7

7 + 2 | 14 − 5 — 식 7+2=14−5

17 − 8 | 15 − 6 — 식 17−8=15−6

사고력을 키우는 팩토 연산 · 105

P 106~107

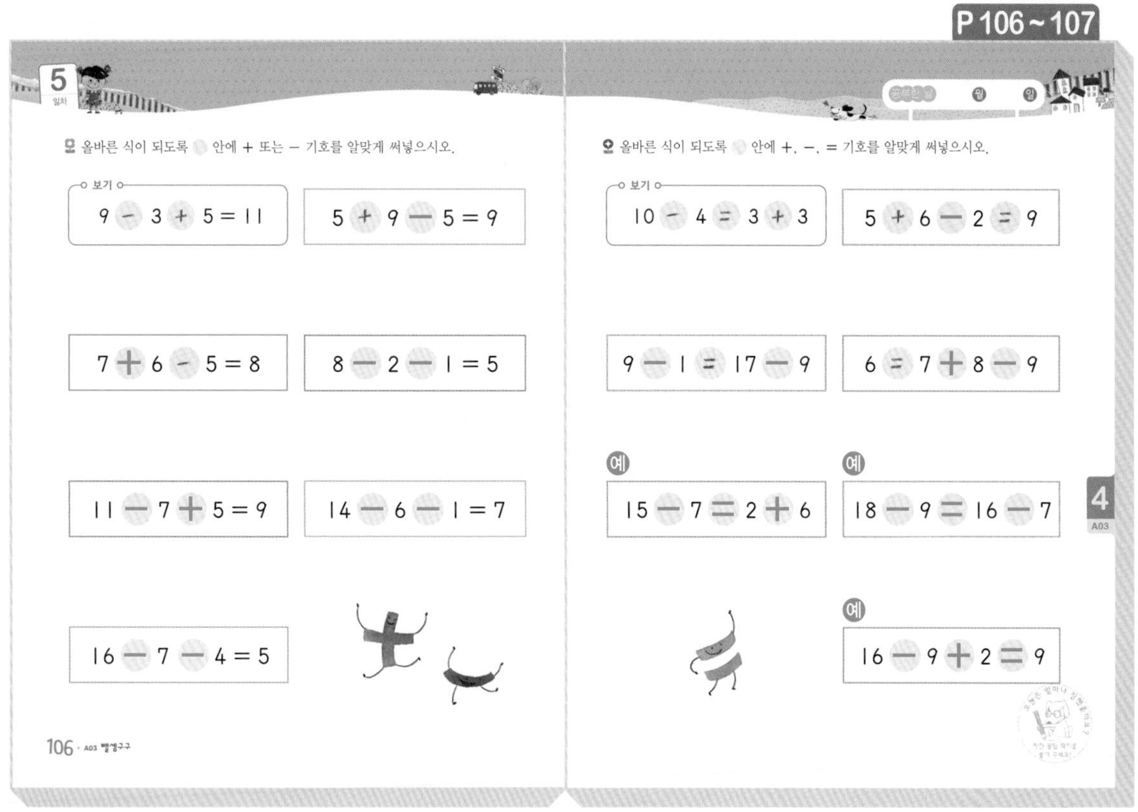
5 일차

올바른 식이 되도록 ○ 안에 + 또는 − 기호를 알맞게 써넣으시오.

보기: 9 − 3 + 5 = 11

5 + 9 − 5 = 9

7 + 6 − 5 = 8

8 − 2 − 1 = 5

11 − 7 + 5 = 9

14 − 6 − 1 = 7

16 − 7 − 4 = 5

106 · A03 팩토 연산

올바른 식이 되도록 ○ 안에 +, −, = 기호를 알맞게 써넣으시오.

보기: 10 − 4 = 3 + 3

5 + 6 − 2 = 9

9 − 1 = 17 − 9

6 = 7 + 8 − 9

예) 15 − 7 = 2 + 6

예) 18 − 9 = 16 − 7

예) 16 − 9 + 2 = 9

memo

상 장

이 름 : ________________

위 어린이는 **팩토 연산 A03권을**
창의적인 생각과 노력으로 성실히
잘 풀었으므로 이 상장을 드립니다.

20 년 월 일

매 스 티 안

위 상장은 8"*10"(20.3*25.4cm)액자에 넣을 수 있도록 제작하였습니다.

본 책을 마친 아이들에게 위 상장을 수여하며 아낌없는 칭찬과 힘찬 박수를 보내 주세요.
아이들은 칭찬을 받으면 받을수록 수학에 대한 자신감이 더 생길 것입니다.